CADW GŴYL

Cadw Gŵyl

Myrddin ap Dafydd

Lluniau: Anne Lloyd Morris

Gwasg Carreg Gwalch

Argraffiad cyntaf: Tachwedd 1991
Ail argraffiad: Ionawr 1992

ⓗ *testun: Myrddin ap Dafydd*

ⓗ *teip: Gwasg Carreg Gwalch*

Rhif Llyfr Safonol Rhyngwladol:
0-86381-203-1

Clawr a lluniau y tu mewn i'r gyfrol:
Anne Lloyd Morris

Argraffwyd a chyhoeddwyd gan Wasg Carreg Gwalch,
Capel Garmon, Llanrwst, Gwynedd.
℡ (0690) 710261; Ffacs: (0690) 710798

Cyflwynedig
i
Branwen ac Alun
sydd yng ngharchar
pan gyhoeddir y geiriau hyn

Cynnwys

Gair bach

Cyn eu casglu ynghyd i'r gyfrol hon, mae'r rhan fwyaf o'r cerddi hyn eisoes wedi'u defnyddio ar gân neu gerdd dant, ar radio neu deledu, mewn papur bro a chylchgrawn. Diolch i bawb sydd yn dal i ofyn am eiriau, yn dadlwn a rhoi dedlain.

Mae derbyn comisiwn yn hen draddodiad ymysg beirdd Cymru a gwerthfawrogaf bob cyfle i ateb y galw. Yn yr un modd, mae nawdd eisteddfodau wedi fy swcro a'm hannog dros y blynyddoedd — diolch i Lys yr Eisteddfod Genedlaethol ac Eisteddfod Llangwm am ganiatâd i gyhoeddi rhai o gynhyrchion eu cystadlaethau.

Mae yma hefyd ffrwyth comisiynau a roddais i mi fy hun. Eto, nid er fy mwyn fy hun y cawsant eu cyfansoddi. Mae'n rhaid wrth gynulleidfa gan mai peth marw iawn yw celfyddyd er mwyn celfyddyd. Rwy'n hoff iawn o'r hyn ddywed y bardd Gwyddelig, Brendan Kennelly: *'If a poem isn't shared it's not alive. Poetry should be consumed or it'll quickly become stale bread.'*

Bu *Yr Odyn*, papur bro Nant Conwy, yn fodd i mi gyrraedd a gweld fy nghynulleidfa — diolch i'r papur a diolch i'r fro am yr ymateb yn lleol. Does dim yn rhoi crib gochach i geiliog na chlywed rhywun yn trafod ei waith. Gwerthfawrogaf yn ogystal bob cyfle i gyflwyno cerddi ar lafar o flaen cynulleidfa fyw mewn cylch llenyddol neu stafell gefn. Mae pob un o'r nosweithiau hynny yn ddi-ffael wedi cynhyrchu mwy o gerddi. Rhoi tysan a chodi rhesaid fu fy mhrofiad innau lawer tro.

Diolch hefyd i Gwmni Sain am gyhoeddi casét o'm caneuon a cherddi yn gynharach eleni. Does yr un gerdd yn gyflawn cyn ei datgan ar lafar mewn rhyw fodd neu'i gilydd ac roeddwn yn falch o weld y casgliad hwnnw ar dâp.

Bûm yn lwcus o gael sawl athro a chydymaith da wrth ymhél â cherdd dafod. Yn nyddiau llencyndod, bu R. E. Jones, Llanrwst ac athrawon Cymraeg Ysgol Dyffryn Conwy yn gefn mawr i mi. Wedi hynny, cefais gymdeithas felys a hwyliog llawer o gynganeddwyr mewn ymryson ac eisteddfod. Ond mae fy nyled fwyaf ers blynyddoedd bellach i'w thalu i goleg Ysbyty Ifan, sef y cwt sinc yn y pentref hwnnw lle mae Saer yn arfer ei grefft, yn trin geiriau yn ogystal â derw ac yn bwrw'i farn ar bopeth yn y byd.

Mae rhyw stori y tu ôl i bob cân, meddan nhw. Mae gan bob dyn, plentyn, tŷ a llecyn ei stori ac mae'r elfen faledol yn bwysig i mi mewn barddoniaeth. Wrth gyflwyno cerddi ar lafar byddaf, fel arfer, yn adrodd y stori y tu ôl i'r ysgogiad i'w sgwennu. Rwyf wedi gwneud hynny hefyd yn y gyfrol hon, lle bo hynny yn medru ychwanegu rhywfaint atynt. Gan mai digwyddiadau o ddydd i ddydd sydd wedi deffro'r awydd i sgwennu'r rhan fwyaf o'r cerddi, maent yn rhyw fath o ddyddiadur imi ac rwyf wedi eu cynnwys yn nhrefn amser (ar wahân i'r awdl 'Gwythiennau').

Diolch i'm cydweithwyr yng Ngharreg Gwalch am bob gofal gyda'r gwaith, i Gwawr am fwrw golwg dros y proflenni ac i Anne Lloyd Morris am roi gwedd arall ar rai o'r testunau gyda'i lluniau cywrain.

Yn olaf, diolch i bwy bynnag a wêl yn dda i brynu llyfr arall eto fyth o farddoniaeth Gymraeg. Er fy mod i'n sgriblian ers bron i ugain mlynedd, wnes i erioed feddwl y buasai hi'n dod i hyn.

Myrddin ap Dafydd
Hydref 1991

Gwythiennau

Y mae hen afon yn rhan ohonof,
Yr oedd drwy'r oesoedd yn golchi drosof,
Daw o angerdd y cyndeidiau angof
I fwrw ei hun yn ferw ynof;
Hi yw fy ngwaed, hi fy nghof — yn nyffryn
Y dŵr a'r ewyn sy'n llifo drwof.

*   *   *

Wrth geisio cofio 'nhad-cu,
Ni welaf ond y gwaelu:
Lluniau bachgen o henoed,
Llun ŵyr o benllanw oed;
Ei egni ef yn gwanhau
A'i wedd yn ddrych o'i ddyddiau.

Ond wrth drwstan grymanu
Â dwrn o dân mewn drain du,
Dyheu am ei weld yn dod
Wnâi hogyn-dwylo-swigod;
O'i ôl ei ddawn, gwael oedd hi:
Stori o lanast ar lwyni.

Oedd glawdd ei gywilyddio
Nes daeth i'w raid ei daid o:
Cryman, chwiban ac awch oedd
Yn drech na chnwd o wrychoedd;
Amynedd yn crymanu,
Ôl llaw ei bwyll lle y bu.

Yno yr oedd yn ŵr iau
A'i wyneb fel f'un innau;
Roedd cynnwrf rhyw ddoe cynnar
Yn bywhau ei 'sgwyddau sgwâr;
Yno roedd llanc, ac roedd lli
'I wythiennau'n ffraeth a heini.

Ei rym i minnau a roes - â'i afon
    Yn arafu eisoes,
  Rhoi i'w ŵyr aber ei oes
  A rhannu rhaeadr einioes.

Ei ddyddiau, Tachwedd oeddynt, — ond dylif
    Oedd y talent ynddynt
  Ac i arall rhoes gerrynt
  Yn goch o'r ffynhonnau gynt.

Er gwynnu'i esgyrn, nid llai'r gynhysgaeth:
Ynof y deil yn ffrwd o fodolaeth;
Yn fy wylo, mae dolef ei alaeth;
Yn fy hwyliau, mae'i fonllefau helaeth;
Drwy'r clai du, drwy'r ceulo, daeth — eto'n rhydd:
Y mae 'na lawenydd mewn olyniaeth.

            *   *   *

Cyn y daw cwyr i gloi cnawd y caru,
Ninnau, gariadon, ddaliwn i gredu;
Newydd genhedlaeth, ond hen hiraethu
A hen ddyheu'n ein cnoi a'n meddiannu:
Dyheu gwneud cartref o dŷ a breuddwyd,
Dyheu i aelwyd droi'n wres i deulu.

Mae pyllau galar yn afon cariad
A nosau duon i ddawns dyhead;
Yn yr oriau llawen, oera'r lleuad
A daw i draethau drai ein dadrithiad;
Weithiau, daw'r angau i'r had, — daw dagrau,
Daw dawn i gau'n gofidiau dan gaead.

Ond pan fo'n anial sguboriau'r galon
A hir ein heth; pan fo'n herwau'n noethion;
Pan fo'r lluwch fel llid ac addewidion
Ein haf o'r golwg; pan fo argoelion
Yfory oer ar y fron, — drwy ein clai
Daw drama Mai wedi'r storm amheuon.

*   *   *

Gwelem ar delesgrin obaith inni
Ac yn llun y sgan, holl hanes y geni,
Ond pa dechnoleg allai fynegi'r
Ffair o wanwyn oedd yng nghyrff rhieni?
Diferion o'n hafon ni, — roedd ein ffydd
A'n llawenydd yn y groth yn llenwi.

Ein hanadl yn anadlu; — ein curiad
      Yn curo, cynyddu;
   Diferion cnawd yfory
   Oedd yno'n deffro'n y du.

Ym merw mawr oriau mân — y bore
      Y bwriodd o'i gwman;
   I ni, o'i gael, roedd Mai'n gân
   A'r gafael yn wefr gyfan.

Law yn llaw am naw lleuad; — law yn llaw
    Tan y llam o gariad
  Wrth inni weld gwyrth ein had
  Dwylo dau'n dal dyhead.

Ei ddal fel pe'n dal deilen — a honno'n
    Crynu yn yr heulwen;
  Y geni ym mhob gwythïen
  Yn dresi byw dros ei ben.

Gwirioni o weld ei groen iach — a'i wyneb
    Ar lun ei ddwy linach;
  Gwirioni ar gyfrinach
  Ewinedd y bysedd bach.

Ei lygaid o hyd dan glogyn — y groth,
    Ond yn grwn a sydyn,
  A thawelent wrth ddilyn
  Ryfeddodau'r golau gwyn.

Yna'n frwd o dan y fron — mynnai'i fam
    Yn faeth; hithau'n fodlon
  Rhoi i'w angen hufen hon
  A'i anwylo â'i chalon.

I'w ddiymadferth brydferthwch — rhôi waed
    Pe bai raid, heb ebwch;
  Rhôi ei lli hyd awr ei llwch
  I'w ddal rhag pob eiddilwch.

*   *   *

I gân y ceiliog, â chwsg yn cilio,
O ward ei llafur bu raid moduro
A gwelwn dân y golau'n dihuno
A choelcerth y creu, fore'r blodeuo;
Gwawr oedd yn agor iddo — a phurdeb
Heulwen ei wyneb 'welwn yn honno.

Gwelwn lun ein mab yn 'sgwyddau Siabod
A'i wedd ar war llechweddau'r eryrod,
Ei lygaid agos yng ngwlith y rhosod
A'i ruddiau glân yng ngardd y gloynnod;
Haul y wawr oedd awr ei ddod — a brigau
Ei gyhyrau oedd coed y gwiwerod.

Roedd iddo ei ran yng ngherdd yr ennyd
Pan ganai Mai am harddwch fy mywyd;
Roedd blodau'r geiriau ar hyd y gweryd
A rhigwm o obaith ar gaeau mebyd;
Hwian i'r baban wnâi'r byd, — roedd ôl llaw'r
Gwanwyn yn alaw i gân anwylyd.

*   *   *

Syn y gwrendy ar sŵn geiriau'i hendaid
Ac ateb cryg sydd ym myw ei lygaid,
Heb un enw wrth fwrw'i lafariaid
Nac eto synnwyr yn ei gytseiniaid;
Ond gwythïen ei enaid — sy'n meithrin
Hen gynefin Cymraeg ei hynafiaid.

Iaith ei fam yw ei ramant, — mae'n chwarae
    Â churiad ei phrifiant
  Ac yn dyheu i gau un dant
  Am un egin mynegiant.

15

Iaith ei fam a'i thwf yma'n — dwyn ei haur
    I'r dynwared trwstan,
   Mae hen wefr yn ei slefrian,
   Hen sain gwiw yn ei sŵn gwan.

Iaith ei fam yng nghroth ei fod — yn had oedd,
    Ac mae'n daer, o'i chanfod,
   Yn cnydio hon, cyn ei dod,
   I greu saga o'r swigod.

Chwilio, gan grychu'i aeliau, — am un gair
    Mewn gweryd o eiriau;
   Gwirioni yn null gŵr yn hau
   Yn rhych y chwifio breichiau.

Yfory iaith 'ddaw heb frys
Efo'r haf ar ei wefus;
Daw i grefft ei geiriau hi
A grawn a geir ohoni
O hawlio'i chaeau melyn,
Athrylith ei gwenith gwyn.

Eraill a wêl erwau llwm
A thirlun heth a hirlwm,
Ei chnydau yn ochneidio
A'i gwraidd yn pydru'n y gro;
Ond heno, lle bo bywyd,
Gyrr ei hun i frig yr ŷd.

Yn ebychiad y bychan,
Mae Mai ar ei blagur mân:
Daw'r ŷd gyda hyder hon,
Daw'r haidd i'w ymadroddion;
Dwylo o hyd sy'n dal i hau
Â'u gobaith fel ysgubau.

*   *   *

Ei anadl yw fy henoed,
Hen ofn dyn o fynd i oed;
Yn ei nerth, af innau'n wan
A'i wên aur yw 'ngwallt arian;
Hwn yw Mai'r gwanwyn i mi
A Mai hedyn fy Medi.

O na bai imi'r bywyd
Sy'n gyffro ynddo o hyd:
Yn ei wely fel olwyn
Yn tynnu'i draed dan ei drwyn,
Yna'i gorff yn fellt i gyd —
Ebol yng nghampau'i febyd.

Heulwen y byd yw'r clown bach
A'i winc wna finnau'n sioncach;
Dau lygad fel lleuadau
A'i holl dân ynddynt ill dau,
Ei lon wich yn ail i neb
A'i wên yn lledu'i wyneb.

Cyn dod eog o hogyn,
Mor llonydd oedd dyfroedd dyn,
Llonydd, nes gweld eu llenwi
Gyda 'machgen eurben i:
Ail waed oedd, newydd li i'w dad
O raeadr y dechreuad.

Yn 'i anadlu, wyf hŷn o genhedlaeth
A'm haint yw henaint — ond pa wahaniaeth?
Ni fyddaf i'r gaeaf gaeth — ag yntau'n
Troi'r dyddiau'n iau â gwres ei gwmnïaeth.

Mae yn ein bro don ifanc yn codi
A hon yw ton y dilyniant inni,
Hen ddawn yn newydd ynni — a dyfroedd
Ein hen deuluoedd yn dal i loywi.

Yng nghôl hen nain, yn fy nghalon innau,
Y plant gynhaliant gannwyll yn olau;
Diferion o'n ffynhonnau — sy'n y rhain,
Yn gwthio'u hunain drwy eu gwythiennau.

Oes, mae hen afon yn rhan ohonynt,
Mae ein tylwythau'n donnau amdanynt,
Hen waed, hen haearn ydynt — ein doe gwiw
A'n hyder heddiw sy'n llifo drwyddynt.

Gaeaf 1989-1990

Cofio Rhys Bryniog

Ysgytwyd yr ardal pan fu farw Rhys yn ei gwsg ychydig cyn y Nadolig, yn ddim ond dwy ar bymtheg oed. Ond er ei golli, mae ei ddireidi a'i anwyldeb yn cadw cwmni inni o hyd.

Ni wêl neb ein Gwyliau ni
Yn gelynnog eleni
Â'r ienga' un o wŷr ynghau
Dan dywarchen, dan dorchau;
Ein dydd o 'newyddion da'
Yn gaeth i'r newydd gwaetha'.

Yn Rhagfyr, byr yw'r bore —
Nid â'r nos odid o'r ne';
Yn ddu, oer, bu mor ddyrys
Â byrhau'r bore i Rhys;
Yn oed llanc bu'r codi llaw:
Troi danodd cyn troi'r deunaw.

Un tal nid mewn maintiolaeth
Ei gorff yn unig a aeth —
Un mawr yn ei gymeriad
A mawr glamp o hiwmor gwlad
A'n hiraeth sy'n llifeiriol:
Ni chawn weld gau'r bwlch yn ôl.

Eto, ei gofio a gaf
Ar y ffin â'i Orffennaf —
Ei nen heb gwmwl mynych
A'i groen heb argoel o grych,
Y co'n llawn acenion llanc
Heb wywo'r wyneb ieuanc.

Rhys a'i wên, y Rhys annwyl,
Rhys o hyd yng ngwres ei hwyl,
Direidus ddi-dor ydoedd
A thynnwr coes hirgoes oedd,
Ei 'Smai?' alwai'n ysmala
A'i sgwrs oedd desog o'i ha'.

Un o ruddin y ffriddoedd,
Athletig fonheddig oedd,
A chario stamp pencampwr
Ar ei gêm o hyd wnâi'r gŵr;
Camau bras a chap tasal —
Haearn y tîm fu'r un tal.

Er i goed derw ei gau'n
Ddiddim yn ei las-ddyddiau,
Er gweld colli'i gwmnïaeth
A ffeirio hwyl tafod ffraeth,
Ni chyll mo'r cof wylofus
Yr oriau hyn gyda Rhys.

Rhagfyr 1984

Yn angladd Arwyn

Bu Arwyn Garth Hebog yn ffrind ysgol i mi ers y dyddiau cynharaf.
Roedd yn bencampwr ar faes chwaraeon ac yn ddeheuig iawn ei law a
bu'n anodd iawn iddo ddygymod â'r afiechyd a'i dygodd oddi
arnom yn y diwedd.

Dyfnach, oerach na'r eira — yw'r galon
    Wrth roi'r gwely ola'
  I hoff ffrind, rhoi'i gorff i'r iâ:
  Un ieuanc i'r hen aea'.

Ara'n ei goed yr â o'n gŵydd — mor llesg
    Un mor llawn o sioncrwydd;
  Mae'r un a redai mor rhwydd
  Yn esgyrn ar chwe ysgwydd.

Rhoi'i chwimder yn y gweryd, — berw'i hwyl
    Tan bridd mor ddisymud,
  Rhoi heddiw'r dwylo diwyd
  I'r bedd yn segur eu byd.

Rhoi i lanc gysur o'i loes, — rhoi ffarwél
    Er ffarwelio eisoes
  Ac ar hanner hanner oes
  Rhoi 'Amen' ar rym einioes.

Ail-addo wnaeth troad blwyddyn — a daeth
    Y dydd yntau i 'fystyn,
  Ond yng ngolau'r oriau hyn
  Y daearodd byd Arwyn.

Ionawr 1985

Dim ond yr awel sy'n rhydd

Cyfaddasiad o gân a glywais yn cael ei chanu gan Christy Moore — 'Only her rivers run free'. *Delwyn Siôn piau'r gofyn.*

Pan ddeilia'r dderwen yn Ionawr,
Pan haf yn y gaeaf a fydd,
Pan fydd hi'n doreithiog mewn hirlwm,
Bydd fy ngwlad a 'mhobol yn rhydd;
Aros mae'r eira ar Garneddi,
O'r corsydd cwyd tarth yn brudd,
Yn y wlad na ŵyr am ei rhyddid —
Dim ond yr awel sy'n rhydd.

O, henffych i'r dewrion colledig,
Y gwŷr a fu'n darian i'w rhaid
Na fedrai ddygymod â gormes
A safodd, a syrthiodd, o'i phlaid;
Ond lle'r aeth eu hysbryd mewn adfyd?
Mae ildio yn ennill y dydd,
Pa ryfedd, heb fêr yn ein hesgyrn,
Mai dim ond yr awel sy'n rhydd?

Palmantwyd y briffordd i'r estron
A ni sy'n ei lledu o hyd,
Agorwyd y drws i'r anifail:
Y ni aeth â'r blaidd at y crud;
Am bris, y ni ddaru werthu
Holl eiddo'r cenedlaethau a fydd,
A ni sy'n holi mewn syndod
Pam mai dim ond yr awel sy'n rhydd.

Pa les sydd mewn nerth os yw'n segur?
A dwylo heb 'wyllys i wneud?
A llygaid sy'n agor heb weled?
A thafod heb ddim i'w ddweud?
Pa fodd mae byw heb ddim bywyd?
A sut mae breuddwydio heb ffydd?
Mae gennym ein rhyddid, er hynny
Dim ond yr awel sy'n rhydd.

Ionawr 1986

Ar dlws coffa

Tlws Coffa Rhys Bryniog — tlws i chwaraewr mwyaf addawol
Clwb Rygbi Nant Conwy.

Un cyfle gawn, ac mae'r dawnus — yn rhoi
    I hwnnw'r wefr a erys,
   Rhoi'i allu, rhoi'i ewyllys,
   Rhoi ei oll, fel y gwnaeth Rhys.

Colled mam

Yn ei gofid, 'wna'r gofeb — na llaw ffrind,
    Na holl ffrwd y dysteb,
   Na'r un wên, na chysur neb
   Roi heno iddi'r wyneb.

William Jones, Nebo

*Darllenwyd pan ddadorchuddiwyd plac ar dalcen Hafod Esgob, Nebo i
nodi cartref y telynegwr. Swynwyd finnau, fel amryw eraill, gan
Tannau'r Cawn.*

I gynefin drycinoedd,
Eithin a rhos, perthyn 'roedd,
Lle â'r gaeaf â gafael,
Lle â'i Fawrth y lleiaf hael,
Lle câi anifail ail haf
O hir gnoi ar gynhaeaf.

Bu'n ei faes â chribin fân
A byw uwch ei fwrdd bychan;
Câi ei rent o'r pridd crintach
A rannai'i bwrs â dwrn bach,
Ond trodd gynildeb Nebo
Yn gamp ei delyneg o.

Un â'i air mor gyndyn oedd
Â daearen rhostiroedd —
Ni welai werth mewn amlhau
A'i hiraeth fu'n cnoi'i eiriau:
Cnoi a chnoi, a chyniwair
Y darlun gydag un gair.

Cyhyd â'i fywyd ei hun
Ydoedd dyddiau ei dyddyn;
Er rhoi i'r arloes ei oes o:
Fyrred ôl y llafurio;
Undyn oedd, er gwneud a wnêl,
Yn drech na'r gweundir uchel.

Er i gawn feddiannu'r gŵys
A'r rhedyn gau'i baradwys,
Mwy o'i ôl sy' yma o hyd
Nag a geir ar y gweryd:
Ar gof gwlad mae'i ganiadau
A sŵn y pridd sy'n parhau.

Mudodd, ond heb ymadael:
Y mae'r gân yma ar gael;
Tra pridd mawn, tra praidd mynydd,
Y neb a fo'n Nebo fydd
Yn un â'r gweunydd hynny
A'r un oedd ddarn o'r waun ddu.

Mawrth 1986

26

Cofio Gareth Mitford

Fel arweinydd Côr Cerdd Dant Pantycelyn y daeth Gareth i lwyfan y genedl gyntaf, efallai. Roedd ganddo glust fain a syniadau pendant wrth ddatblygu a rhoi ail-egni i'r gelfyddyd ac er mor welw oedd ei wyneb, roedd ganddo benderfyniad tawel a sicrwydd yn ei weledigaeth.

O'i ddioddef, ca'dd heddwch; — o'i wywo
    Ieuanc, ca'dd lonyddwch;
  Ei wedd lwyd heddiw'n rhydd lwch
  A'i delyn yn dawelwch.

O alaw, tynnu alaw wnaeth, — y gŵr
    Fu'n gân i'n llenyddiaeth,
  Newydd aur ei gerddoriaeth
  Yn priodi'r cerddi caeth.

Agorodd galon geiriau — a'u gosod
    Yn gyson â'r nodau,
  A bu cerdd yn bywiocáu
  Yn atyniad y tannau.

Wrth ddysgu'r darn: gyrru arni; — manwl,
    Hiramynedd wrthi;
  Ar wefrau uwch y rhôi fri:
  Byw i weled caboli.

Wrth ddatgan ar gynghanedd, — ni wyrai'i
    Egwyddorion fodfedd;
  Er yn swil, eiddil ei wedd,
  Ni welwai yn ei sylwedd.

Gyda'r gamp, mi geid ar goedd — eiriau gwiw'n
    Curo'i gefn gan gyhoedd;
  Nodiai, yna mud ydoedd:
  Lle o hyd i wella oedd.

Yn dyner, cyffyrddwch dannau, — chwiliwch
    A chael union eiriau,
  Uniaethwch ynddynt hwythau
  Hoen a phoen wrth ei goffáu.

Mawrth 1986

Y gic gosb

Terasau'n diawlio'r trosi, — yna stŵr
    Dwy stand yn gwallgofi;
  Fe weddïaf, 'O, Ddewi:
  Dyro ffrind i reffari'.

Neuadd Pantycelyn

Er mai cymdogaeth ffraeth a ffri — o orwyllt
    Fyfyrwyr sydd ynddi;
  Er mai preswyl hwyl yw hi:
  Y mae aur dan y miri.

H.M.S. *Syr Galahad*

Diwrnod trist oedd hwnnw yn 1982 pan laddwyd tua hanner cant o filwyr
o Gymru yn Bluff Cove ar long lanio'r Galahad *yn ystod rhyfel y Malvinas.*
Wedi'r ymladd, tynnwyd y llong allan i'r môr a suddwyd hi gyda'r cyrff ar
ei bwrdd o hyd. Yna, bedair blynedd yn ddiweddarach, lansiodd y Llynges
Brydeinig long arall o'r un enw a gwahoddwyd teuluoedd y Cymry a
gollwyd i'r seremoni.

Ger y tir, hir fu'r aros
Yn hon, a'i chrombil yn nos;
Aros am air, aros mud
Y bae rhwng marw a bywyd;
Eu haros hwy 'does mwyach
Yng nghartrefi y weddi fach.

Tan y tonnau y'i tynnwyd:
Rhoi meirw'r llong i'r môr llwyd,
A band yn grand ar y gro
A wnâi'i swydd tra hi'n suddo:
Taro *Hen Wlad fy Nhadau*'n
Llawn gwynt, wrth i'r llanw gau.

Ni all angau ladd llynges
Er i'w gwŷr hi roi eu gwres;
Daw cynddaredd o'r heddwch,
Daw llong yn lle'r llong sy'n llwch,
A model o fetel fydd
Yn y drin yn ôl drennydd.

Yn y man, sbloet o lansiad
I ail long y *Galahad*:
Iwerydd o fedydd fu
Ar draethau'r di-hiraethu;
Hi'n y dŵr, a band arian
Ar y cei yn morio cân.

Er rhoi tiwn i Britannia
A cheisio chwifio'n y chwa
Faneri'r bri a barhâi,
Yn y rhesi, arhosai
Ewyn yn ddeigryn neu ddau,
Yn arwyddion ar ruddiau.

Ni fu o'u cwsg fywiocáu
Yn nhiriogaeth yr hogiau:
'Does ond un einioes i ni,
Nid awn i'r pair dadeni;
Nid yw y môr deheuol
Am roi gwŷr Arthur yn ôl.

Medi 1986

'Bod yn rhydd'

Record Dafydd Iwan yn 1979.

Yn hirnos y dygnu arni — mor hawdd
    Oedd marweiddio inni,
  Ac yna daeth dy gân di
  A rhwydd yw ymroi iddi.

Y fodel

Mae'n hudol; mae'i chwmni'n Eden; — mae'n bert;
    Mae'n bish ac mae'n flonden;
  Ond er ei ffordd o droi'i phen,
  Mae'i hithau'n gollwng *methane*.

Carol

Gŵyl y goleuni yw'r Nadolig ac ers dyddiau'r hen Geltiaid, bu gan bawb ei ddehongliad ei hun o'r goleuni hwnnw. Yn nhrymder gaeaf, nid oes un nad yw'n croesawu'r gobaith newydd am wanwyn newydd.

Daw Rhagfyr â gwewyr gwyll,
Mis du y gormes tywyll;
Daw â huddyg' i'n dyddiau
O awr i awr, a'u byrhau
Nes ei bod yn nosi byth,
Gaeafol yn dragyfyth . . .
Ond ieuanc godi awydd
Am hen seren eto sydd.

Yn noeth, fel ein gobaith ni,
O ddail llynedd yw llwyni;
Ni fu'r castan mor anial
A ffodd twf y ffawydd tal
I'w madru. Pa fodd medrai
Ddileu am hwyl holl ddail Mai . . ?
Ond o'r pridd, yń hydre'r pren,
Wele wanwyn celynen.

Heb lawenydd, blewynna
Wna'r praidd oer ar y pridd iâ
A daw'r boen o brinder bwyd
I faruglom waun friglwyd;
Daw'r byw o dan amdo'r bedd:
Eira glân ar gelanedd . . .
Ond dadmer mae rhynder hin
O roi rhywbeth i'r robin.

Er llonned heddiw'r llety
A'r clecian tân lond y tŷ,
Y ford dan ddanteithion fyrdd
A thulath dan fytholwyrdd,
Daw gŵyl o hyd cyn 'daw gwledd, —
Nid gwanwyn yw digonedd —
A daw'r garol, daw'r golau
O awr i awr i hwyhau.

Nadolig 1986

Y postmon

Parodi ar englyn Y Pistyll.

Bu'r ast fain a nain honno — â'u dannedd
    Yn ei din ugeintro;
  Er cnoi y cyth er cyn co',
  Y post sy'n dal heb hastio.

Ysgol profiad

Rhoi i oes ddyfalbarhad — a dysgu
    Drwy dasg, nid arholiad;
  Gweld her mewn camgymeriad,
  Ym mhoen y wers, cael mwynhad.

Colli R. M.

Ymddeolodd y Parchedig R. M. Williams a'i wraig, Enid, i Lanrwst ar ôl bod yn gweinidogaethu ar lannau Merswy. Roedd ei gwmni yn fwrlwm o fywyd a brwdfrydedd bob amser a bu'n gefn mawr i minnau yn nyddiau cynnar y wasg.

Am wyneb R. M. annwyl
A'i ddawn ym mrynhawn ei hwyl;
Am dad a llyw ym myd llên
A sawl hoe o sgwrs lawen;
Am bwyll i hynt ambell lanc
Â'i air da a'i ysbryd ieuanc;
Am sawl anorffen ennyd,
Am un gŵr, am hyn i gyd
Yma'n awr y mae'n hiraeth,
Chwithdod ei ddarfod a ddaeth;
Mae holi am ei heulwen,
Mae fy nghalon heno'n hen.

Yn fy nos, ei gofio wnaf,
Y dewr, siriol drysoraf:
Ei lygad wastad yn wên
A'i channwyll yn wreichionen.

Heno yng ngwyll ei angau o,
Dyddiodd fy nyled iddo.

Ionawr 1987

33

Dathlu pedwar canmlwyddiant cyfieithu'r Beibl i'r Gymraeg

Yn y rhyd, ym mylchau bro,
Dôi heyrn dewrion i daro
Os oedd un glyn, os oedd ein gwlad
A'n hiaith o dan fygythiad;
Yn rhyfel y canrifoedd,
Dur i ni yn darian oedd.

Tra bwa, tra bu Owain,
Ni fu i hon wasgfa fain
A gwâr oedd ei geiriau hi
Tra nodded haearn iddi;
I'n hiaith, roedd golau'n y nos;
I'r Gymraeg, ei mur agos.

Yna'r hollt yn nur yr iaith,
Ymrannodd y mur uniaith
A hen hil ei chynheiliaid
Yn rhoi hil na wybu'i rhaid:
Y milwr fu'n cadw'r co'
Goronwyd am ymgreinio.

Y tir aeth, heb y tai rhydd,
Yn wag o'i fynachlogydd;
Heb addurn y Babyddiaeth,
Gweddïau oer, Saesneg ddaeth,
Ac yn nhro'r genau yr aeth
Ei hen swyn o'r gwasanaeth.

Yna'n ffoi gyda'i hen ffydd,
Mynach ddaeth i dir mynydd;
I'r Wybrnant daeth ar antur,
Yn wan ei gorff yn ei gur
A chael cyfeddach eilwaith
Gyda'i Grog a dagrau'i iaith.

Yn arafwch bro'r criafol
Yr oedd rhyw awydd ar ôl
I rannu dawn a rhin dyn,
Ac yno bu bachgennyn
Yn bywhau'r hirnosau'n iach
Â gwres mawn a gras mynach.

Drwy air call y co'n pallu,
Hen ŵr Duw'n fodd i fyw fu;
Magodd flas at urddas iaith
A phoethodd at berffeithwaith,
Trysori hen gerddi gwin,
Dal awch am y dilychwin.

O brifysgol mabolaeth,
Athen aur yr eithin aeth;
Lledai esgyll y dysgu
At awyr faith, ond triw fu
I hen gerdd ei fawnog o
A'i gywyddau'n graig iddo.

Roedd i'w braidd heb eiriau'r Iôr
Ei thywyllwch wrth allor;
Byddar wynebau oeddent
A mud ymhob sacrament,
Ond gwawriodd diwrnod gwerin
I gael iaith wrth blygu glin.

Â'r ddawn oedd mewn barddoniaeth,
Ail-eni i'w oes ei lên wnaeth,
A rhoes dinc o sgwrs y dydd
I lyfnhau'r elfen newydd,
A rhywfodd, fel lli'r afon
Ar y glust y treigliai hon.

Un golau oedd yn ein gwlad:
Gair ein Duw gâi'r gwrandawiad,
Ac un iaith, yr heniaith hon,
Âi â'r golau i'r galon;
Urddas a roes, a goroesiad,
Campwaith i'r iaith a pharhad.

Yng ngwinllan Morgan, mae iaith
O hyd nad yw yn llediaith —
Er colli, colli cyhyd,
Mi ddaw tro tra bo bywyd;
Mae elfen rhy hen i oed
Yn cynnal pedwar cannoed.

Gwanwyn 1987

Gofyn am lwy serch

Gofynnais i Bob Gruff, Llangwm gynt, naddu llwy serch i mi ei rhoi i Eirian i ddathlu tair blynedd o briodas. Esboniodd y cerfiwr arwyddocâd gwahanol rannau'r llwy a cheisiais weu hynny i'r cywydd. Yng nghapel Nant-y-rhiw y'n priodwyd.

Mae Mai, i Eirian a mi,
Yn adeg ein priodi
A daw i ben eleni
Dair oed ei modrwyo hi;
Tri haf, tri gaeaf gafwyd
A swcwr i ŵr fu cau'r rhwyd —
Os harnais roed i'm siwrnai,
Y mae pob mis fel mis Mai!

Doethwr yw'r gŵr ddeil ar go'
Ei wraig, ac a'i anrhego;
Dewis beth sy'n benbleth bur
A nesu mae'r achlysur;
Nid yw hon, rhyngom ill dau,
Yn swnian am rosynnau;
Nid sent yw ei dewis hi:
Mae Eirian fel rhosmari!

'Stalwm, sawl cwlwm fu'n cau
Yn null llawen y llwyau,
Ac Eirian ddeil i garu
Efo hwyl y dyddiau fu;
Gwêl werth mewn hen grefftau gwlad,
Hen ddweud a hen draddodiad.

At Bob Gruff, tebyg i 'run
A gododd arf at goedyn,
Troi 'rwyf, yn gardotwr hy',
Ac eiriol am lwy garu.

Llangwm sy'n drwm yn ei droed
A'i ymwybod ers maboed
A hen ddawn tŷ'r rhawn a'r wedd
Anwesa yn ei fysedd —
Dawn gwas i dynnu'i gaseg
A'i gŵn o bren derw'n deg;
Mae'r llunio'n y dwylo dal:
Distaw wybod llofft stabal.

Yn Uwchaled, hen chwilen
Oedd yn brawf ar ddyn a'i bren:
Ni fu i neb gyfiawnhau
Ennill llaw, ond â llwyau;
Yn dy oes, buost Bob, do,
Yn hen garwr diguro
A deil dawn dy lwyau di
Ar y gorau i ragori.

O fesur da o fasarn,
Llunia di y llwy un darn,
Un darn, fel yr un diwrnod
Pan llwybrau dau'n un sy'n dod.

Gwna hon yn gafniog yn ôl
Â chŷn, yn ddyfn ei chanol —
Rho iddi hi'r modd i ddal
Hynny a all ei gynnal,
Oherwydd y mae Eirian
Yn wir hoff o fwyta'i rhan!

Llunia y gawell hynod
Sy'n dal yr amser sy'n dod —
Ohoni nid oes dianc
I'r un ddaw yn llaw y llanc:
Dwy belen bren yn barhad;
Ni wahenir yr uniad.

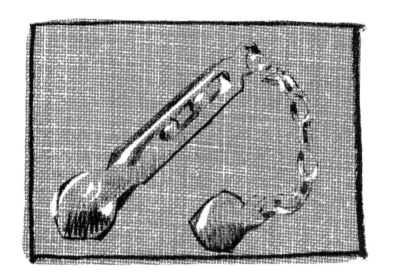

Ym Mai, rhoes Eirian a mi
Ein Dwynwen mewn cadwyni:
Rho dithau, â'th arfau, hyn
Yn nhalent y pren melyn;
Nadda'i lun yn ddolennau:
Cadwyn yn dirwyn rhwng dau;
Rho gred ym mhob modrwy gron
A choel, wrth gloi â chalon.

Fyth eto, o'i cherfio, ni chudd
Y llwy hon fy llawenydd:
Mae'i gwaith glân yng nghân fy nghof,
Ei graen yw'r geiriau ynof
A llw serch yn y llwy sydd,
Adduned ynddi'n ddeunydd
A modd i rwymo heddiw
A'n tair oed wrth Nant-y-rhiw.

Mai 1987

39

Cywydd croeso

Cyfansoddwyd i groesawu'r Eisteddfod Genedlaethol i Ddyffryn Conwy ym 1989 ac fe'i canwyd gan barti Blodau'r Eithin, Llangwm.

Am wythnos, nid yw'n nosi:
Y gwychaf o haf yw hi,
A daw iaith a chymdeithas
I ŵyl Awst, fel awyr las;
Yn nannedd Tachwedd ein taith
Mae heulwen arnom eilwaith.

Mae'n ben-blwydd, yn rhwydd rhoddwn
Aelwyd haf i'r dathliad hwn,
Yng nghalon Dyffryn Conwy
Y mae'r maes i Gymru mwy,
Lle mae 'na haul, lle mae'n hwyl —
Costa Brava i'r Brifwyl!

Hon yw bro Arwest y bryn,
Hen aelwyd seiri'r delyn,
Y dre fu'n grud i'r awen,
Y llan â'i lliw yn ein llên;
Yn ddi-ffael, ar hen aelwyd,
Fflamau'r ailgynnau a gwyd.

Hen ddisgwyl iddi esgor
'Glywir o'r mawndir i'r môr:
Disgwyl gŵyl yr hen, hen go'
A hen wres sy'n y croeso,
A heddiw hon sydd at ddant
Ei tho ifanc, ei thyfiant.

Y gân yn fuan a fydd
Yn dalent hyd y dolydd,
Gwreiddiau'n brigo'u gwareiddiad
A cherddi fel glesni gwlad;
Tir gŵyl a chartre'r galon —
Dewch i weld hyfrydwch hon.

Ac oes, mae pont i'w chroesi:
Un grom ei llun uwch grym lli;
Yn ei meini mae uniad
Yr ŵyl a wêl uno'r wlad,
A thra bo ei thri bwa,
Yn Llanrwst, bydd llon yr haf.

Ionawr 1988

Gylfinir

Fin nos y clywaf yn hir — ei nodau
　　Yn dod dros'y rhostir
　　Yng Ngwytherin, — gylfinir
　　Yn galw ha' â chwiban glir.

Hirlwm

Y borfa lom â'i barf lwyd — o farrug
　　Hyd at fêr sy'n arswyd,
　　Mae newyn fel mynawyd
　　A ias bedd o eisiau bwyd.

41

George Jones, Llanrwst

*Un o gymeriadau'r dre oedd George. Baledwr, adroddwr a storïwr â
chanddo gof anhygoel a dawn i ddal ei gynulleidfa, boed honno'n llond
neuadd bentref neu'n un neu ddau wrth fâr y Cwîns neu Ben-y-bryn. Hyd
yn ddiweddar, daliai i ddanfon llefrith o dŷ i dŷ gyda merlen a fflôt a
gwirionai'r plant ar roi help llaw iddo. Roedd pawb yn gartrefol yn ei
gwmni — cadwodd y pethau gorau a hynny gyda gwên ar ei wyneb
bob amser.*

Caled fu'i weld yn cilio — a'r hen dre'
    Yn drist wrth ffarwelio,
  Sgweiar o ŵr is y gro,
  Arabedd yn troi heibio.

Ni ddaw un i adrodd inni, — y Sgwâr
    Sydd heb sgwrs na stori;
  Â chalon oer, ni chlywn ni
  Hen dderyn fu'n diddori.

Anwesodd sawl hanesyn — a'i ddawn oedd
    Eu nyddu'n gain frethyn,
  Dawn i gario dan gorun
  A dawn dweud yn anad un.

Yr olaf o'r criw hwyliog, — ei lawiau
    Fu'r ffleiars talentog,
  Ond aeth pob ffraeth a hoff rôg:
  Fe aeth y cof cyfoethog.

Ei deyrnas oedd y Sadyrnau — a phlant
    Ar ei fflôt yn heidiau
  A John Wayne yr awenau
  Yn un mwy na'r sinemâu.

Dôi heibio i'w lofft stabal — am gi wellt
    Sawl cymêr o'r ardal,
  Eto'n dod, ac yntau'n dal
  I estyn croeso cystal.

Roedd ei dref ar un lefel, — torrai air
    Gyda'r tramp a'r angel,
  Hapus yng nghwmni'r capel
  A brenin hwyl y brown êl.

Hiraeth sydd am ei siarad, — ei faled
    A'i felys adroddiad,
  Ei wên glir a'i hiwmor gwlad
  A hiraeth am gymeriad.

Mawrth 1988

Cofio Tudor Tyddyn

Ergyd drom i'w deulu ac i'r ardal gyfan oedd colli Tudor Tyddyn Ffrencher yn anterth ei ddyddiau. Ni fu un mwy brwdfrydig erioed — wrth arwain clwb ffermwyr ifanc, wrth gefnogi sawl achos arall ac wrth ei waith bob dydd ar y fferm.

Yn ifanc rwy'n ei gofio
A'i fryd oedd ie'nctid ei fro,
Ei gnawd byw'n egni di-baid
A thân ym mhorth ei enaid;
Ifanc ei anian cyhyd —
Ifanc yw'n galar hefyd.

Ar ei war, rhoes yr iau drom
I dynnu'r da ohonom;
Camodd ei hun i'n cymell,
I'n dwrdio i geisio gwell;
O'i hen griw, ysgogwr aeth,
Mae hi'n wag am anogaeth.

Breuddwyd, a bwrw iddi —
Ar ofyrôls y rhôi'i fri;
Poethi ymysg pethau mân,
A'i ofal tu ôl llwyfan
Yn gefn i ddrama neu gôr;
Gwneud, nid dweud, a wnâi Tudor.

Gwelai werth yn ei gefn gwlad,
Hi a'i hawliai'n gynheiliad,
A rhoes ei oes a'i holl sêl
O du sawl achos tawel;
Dôi o'i waith i'w gymdeithas
Ac o'i ôl ef mae tir glas.

Ymwahanodd â Maenan
A'i fwlch sy'n lledu'n y fan,
Ond yn nos ein colled ni,
Ni allwn ei lwyr golli:
Mae ei lamp, mae'i olau o
Yn wyn o'n blaenau heno.

Mawrth 1988

Angor

Er dyheu am fordwyo — a gadael
Heb gadwyn i'm rhwystro,
Nid mor hawdd y gedy 'mro
I'r hwyliau hyn ffarwelio.

Harbwr

Meini rhag heli a'i helynt; — lloches
Rhag holl lach y croeswynt;
Mae'n fur rhag cur y cerrynt
A gwâl rhag cyllell y gwynt.

Cwsg

Hwn yw'r haf rhwng gaeafau, — yr heulwen
Feiriola'n gofidiau;
Mae'r hun o dan amrannau
O eira ddoe'n ein rhyddhau.

Yr hen felin

*Mae yna reolau caeth ynglŷn â chadwraeth a gwarchod cymeriad hen
adeiladau erbyn hyn. Eto, ffug a chosmetig yw llawer o waith adrannau
cynllunio os nad ydynt yn cydnabod bod cymdeithas wrth ei gwaith ac wrth
ei hiaith bob dydd yn werth ei chadw yn ogystal.*

Mae'r tŷ'n daclusach, mae'n anodd iawn gweld bai;
Roedd gynt yn ddigwarel a'i drawstiau'n wigwam crin;
Cadwyd y cymeriad fel yr oedd, fwy neu lai,
Wrth staenio'r *Natural Look* ar y styllod pîn.

Pwyntiwyd y muriau cerrig ac yna'u paentio'n wyn;
Rhoed teils lliw llechi a dau sgeileit yn y to;
Mae gwawr pren tywyll ar Bi-Fi-Si'r ffenestri hyn;
Rhoed rhododendrons yn hen bridd y fro.

Bu syrfëwr o'r Cyngor yn arolygu'r seit;
Mae pob peth yn gweddu, medd Parc Eryri'n real boi;
Ond heddiw y mae tamprwydd yn britho'r briliant-weit —
Mae'r olwyn yn ei lle, ond nid yw'r rhod yn troi.

Un gôt o wersi iaith ac mae'r awydd wedi gwisgo
A'r cosmetics sy'n cracio wrth i'r farnish blisgio.

Mawrth 1988

Cydymdeimlad

Haul a'i wenau melynion — a welwn
    Drwy'r cymylau llawnion;
   Gorau doe i frig aur y don
   A gyfyd drwy'r atgofion.

Tafodiaith

Iaith hen ardal y galon; — iaith y glust;
    Iaith y glân oslefion;
   Iaith y crud; iaith cariadon;
   Iaith nain — iaith perthyn yw hon.

Gwilym R.

Mewn ralïau arwyddion ffyrdd a gwrth-Arwisgo y gwelais ac y clywais
Gwilym R. gyntaf. Oni bai amdano ef a'i debyg a safodd mor
ddigyfaddawd y tu cefn i Gymdeithas yr Iaith, ni fuasai gennym ruban o
fuddugoliaethau o'n plaid heddiw. Darllenwyd yr englynion hyn mewn
cyfarfod teyrnged iddo yn y Babell Lên yng Nghasnewydd.

Yn ei wên, mae'n gwarineb; — hithau'r iaith
   A roes iddo'i dysteb:
  Naddodd, pan na hidiodd neb,
  Ei chŵyn yn rhychau'i wyneb.

Daw ei fyd a'i ofidiau — i wgu
   Ei lygaid ar brydiau,
  Eto, cwyd rhyw freuddwyd frau,
  Yn ei wyll, i'w canhwyllau.

Breuddwydion y galon gudd — am werin
   Yn un mur i'w bröydd,
  Am urddas, ac am wawrddydd
  Ei Gymru gref, Gymraeg, rydd.

Daw o elît y dal ati — un gŵr
   Eto'n gyrru arni,
  Yn rhoi'i wasg i leisio'i gri,
  Rhoi ei hun, rhag gwirioni,

Rhoi'i awen drwy'i wythiennau, — rhoi ei waed
   Gyda'r inc a'r llyfrau,
  Rhoi y mêr yn ei ddramâu,
  Rhoi'i guriad gyda'r geiriau.

Awst 1988

Cofio Richie

Penmachno a Chymru oedd yn bwysig i Richie Thomas; y naill fel y llall, y naill er mwyn y llall. Er ei lwyddiant cenedlaethol, gwyddai beth oedd bod â'i draed ar ddaear ei fro a beth oedd rhoi yn ôl yn yr un modd ag y derbyniodd yntau.

Ei aelwyd a'i le addoli, — mor wag
    Y mae'r rhain heb Richie;
  Hithau'i wlad wedi'i thlodi
  O eisiau hwyl ei 'Dop C'.

Ei ganu bob tro'n ruban — a'i enaid
    Yn llenwi pob cytgan;
  Oedd gynt yn wehydd y gân
  Yn dirwyn nodau arian.

'Doedd anwylach na Phenmachno — a'i hiaith
    A'i chymdeithas iddo;
  Roedd ei fryd ar roddi i'w fro'r
  Hyn oedd yn rhan o'i heiddo.

Er gwahoddiad i adael — y lle hoff
    A throi'n llais ar drafael,
  Nid âi o'i gwm 'mond i gael
  Llwyfan, a cholli'i afael.

Rhôi'i emau i'r tir yma, — bywiocâi
    Bob cwrdd a chymanfa;
  I'w werin, rhôi ei aria
  Heb gyfri cost achos da.

Deuai'r gân drwy'r gewynnau — ac alaw
    Ei galon oedd hithau;
  Oedd eiriwr siŵr, oedd lais iau
  A thenor i'w wythiennau.

Medi 1988

Y delyn

Cywydd a gomisiynwyd gan Aled Lloyd Davies ar gyfer cyflwyniad arbennig yn Eisteddfod Llanrwst, 'Dwylo ar y Delyn', yw hwn. Alawon gwerin, dawnsio gwerin a chanu cerdd dant, oll i gyfeiliant y delyn oedd hanfod y cyflwyniad a cheisiwyd cyfuno hynny yn y cywydd. Côr lleol, dan arweiniad Catherine Watkins, a'i canodd.

Tra bo dwylo ar delyn
Yn bywhau y tannau tynn,
Bydd cainc leddf a bydd cainc lon
Yn ôl galw y galon:
Ein hanterth a'n helyntion
Mewn tincian tant ac mewn tôn.

Alawon o ffynhonnau
Hen gof hil, o'i hogofâu,
Yn eu gloywder a erys
Yn lân a byw ar flaen bys:
Alaw y glaw yn y glyn,
Alaw ein hafau melyn.

Tra bo dwylo ar delyn
Yn taro tant, bydd traed dyn
Yn dawnsio eto i'w sŵn
Ym meysydd yr emosiwn:
Cyweiriau dyddiau cariad
A nodau hen geinciau'r gad.

I'n hwyl, mae hi'n gyfeiliant:
Mewn ysgafnder, tynner tant
A'i sain a wna'r glocsen waith
Yn firi, nid llafurwaith;
Yn nawns ei thonau o hyd,
Ffri y bo hen ffair bywyd.

Tra bo dwylo ar delyn,
Bydd geiriau i'r ceinciau hyn;
Bydd acen i'w hacen hwy,
Acenion tra bo Conwy,
A iaith mam a'r hen themâu
Yn tywynnu o'r tannau.

Ar ddydd gŵyl, ar ddydd galar,
Awen y gwyllt gyda'r gwâr
Yw cân fy hil, — cân a fydd
I'w hen wae'n obaith newydd,
A bydd calon hon yn un
Tra bo dwylo ar delyn.

Mawrth 1989

Cwm y coed

Cymryd tir, chwalu ffermydd a difa cymdeithasau yw hanes trist y
Comisiwn Coedwigaeth yng nghefn gwlad Cymru. Aeth gam ymhellach yn
Nant Conwy wrth roi saith o dai ar y farchnad agored gan ofyn am y
cynnig uchaf amdanynt. Heidiodd y Mercs a'r Volvos dros Glawdd Offa
i'w gweld. Tawel oedd y gwleidyddion croch a arferai gondemnio
gweithgareddau treisiol dipyn llai difrifol na difa cymdogaeth gyfan. Er
gwerthu'r tai hyn, llwyddodd y storm o brotest i newid polisi'r Comisiwn —
byddant yn cynnig eu tai i gymdeithasau tai lleol yn gyntaf o hyn allan.

Pan oedd pladur ar y rhedyn,
Pan oedd ar fwyell fin,
Pan oedd cryman yma'n medi
A'r tir yn cael ei drin,
Roedd gan y landlord estron
Glamp o wal o gylch ei blas,
Ond cerrig sbâr a roddai
Yn dyddyn bach i'r gwas.

Pan oedd arad' yn troi'r tyweirch
A hadau yn y rhych,
Pan oedd cribin i'r cynhaeaf
A'r fron dan gnydau gwych,
Roedd yn y fro deuluoedd
Er c'leted oedd y gwaith,
Roedd pedwar mur a llechi
Yn lloches i'r hen iaith.

Ond pan ddaeth y Comisiwn
I etifeddu'r stad,
Addawyd mai coedwigaeth
F'ai'n achub ein cefn gwlad;
Wrth droi'r teuluoedd allan
Ac wrth drawsblannu'r ffridd,
Wrth chwalu yr hen ffermydd,
Roedd gwenwyn yn y pridd.

Y nhw sy'n awr yn meiddio sôn am drais ein meibion ni,
Y nhw sy'n goch gan waed hen wythiennau 'mröydd i,
A lle bu drws agored a chroeso heb eich gwadd,
Mae mynwent bythol-wyrdd a chymdogaeth wedi'i lladd.

Cymerwyd ei fywoliaeth
Oddi ar hen deulu'r tir;
Cymerwyd coed i'r felin
Ac mae'r daith i fanno'n hir,
Ac wrth i'r bobol fudo
Neu fyw ar gyflog llai,
Cymerwyd y pris uchaf
Wrth werthu saith o'r tai.

Y Comisiwn sydd yn cymryd
Heb roi dim byd yn ôl,
Y fro sydd wedi'i baeddu
A chwerwedd sy'n ei chôl;
Ffarwél i gartre'r teulu
A chau y drws sydd raid:
Ni chaiff y wyres chwarae
Lle chwaraeai'r taid.

Ond Mai ddaeth i Nant Conwy
I lasu'r cyll a'r ynn;
Cynefin y coed caled
Fydd byw er gwaethaf hyn;
Daeth eto liwiau'r gwanwyn
Lle bu y gaeaf hir,
Bydd gwlad yn drech nag arglwydd
Tra derwen yn ein tir.

Ebrill 1989

Ernie Tyddyn Du

Aeth o fuarth ei fywyd — i droi Mai'n
    Dir mynwent crintachlyd,
  Ond cawn heulwen am ennyd
  Yng nghwmni Ernie o hyd.

Gwenllian

I gydymdeimlo â Huw a Nia Ritchie a gollodd ferch ychydig wythnosau oed.

Daeth colli wedi'r cydio, — gwahanu
    Ar ganol anwylo
  A gwawr oes sydd yn y gro'n
  Dawelwch gollwng dwylo.

Mai 1989

Meirion a'r map

Lluniodd E. Meirion Roberts fap hanesyddol, darluniadol i'w werthu er budd Eisteddfod Genedlaethol Dyffryn Conwy a'r Cyffiniau — fel y gwnaeth i amryw o eisteddfodau eraill. Yn ogystal â'r miloedd o bunnau y mae'r rhain wedi'u codi at achosion teilwng, mae'r mapiau yn drysorau ynddynt eu hunain. Pan ddaeth Meirion i agor y pafiliwn Celf a Chrefft yn Steddfod '89, diolchwyd iddo am ei gyfraniad â'r cywydd hwn.

Mae un a roes i'n hoes ni
Oes arall i'w thrysori
Gan roi doe ac echdoe gwiw
Yn addurn ar fur heddiw,
Rhoi'i dalent, rhoi y dwylo
A rhoi cain lygaid i'r co'.

Mae 'dafedd clymu deufyd
Yn gwau drwy'r darlun i gyd:
Afon wen o'r gorffennol
A ddirwyn wanwyn yn ôl
I ddeilio o hyd ar ddwy lan
Yn nhir y llinyn arian.

Mae ar lun patrwm o'r wlad
Amlinell ein hymlyniad —
Hen dlysni ein storïau,
Oriau mawr ein dramâu;
Ei holl enaid fu'n llunio
Tapestri bri'r crefftwyr bro.

Bywyd ar wyneb awen
A lliw ar gartrefi llên,
A'r paent i'r seiri pontydd
Yn un ruban sidan sydd:
Mae i'w gweled deyrnged deg
I'r geiriau ac i'r garreg.

Mae mynydd llonydd mewn llyn
A haul ar wlad Llywelyn
A lliwgar, braf i'r llygad
Y gwelir tir a threftâd;
Yr hyn a gawsom yn rhodd:
Yn y golau y'i gwelodd.

Y mae Meirion a Chonwy
Yma o hyd yn un, mwy,
A harddu'n hyfory fydd
Y brodwaith ar barwydydd:
Daw o'n hoes a'n hedau ni
Oes arall i'w thrysori.

Gorffennaf 1989

Priodas aur O. M. ac Eluned Roberts

Dathlwyd ar Awst 12fed, Sadwrn olaf Eisteddfod 1989.

Mae gŵyl wych sy'n clymu gwlad — yn heulwen
    Ar hirfelyn uniad
  Yma yn Awst eich mwynhad
  Ac aur eich oes o gariad.

Beddargraff tîm criced Lloegr

Wedi cweir iawn gan dîm Awstralia, haf 1989.

Cael haint gan genfaint o gonfics! — Hunodd
    Britannia mewn sterics;
  O, mor drist y statistics
  A phwer Sais a aeth 'ffor sics'.

I gyfarch yr Archdderwydd newydd

Nid gorsedd sydd yn dy feddiant — na gŵyl,
    Na regalia'r pasiant,
  Nid trimings ac nid rhamant,
  Ond iaith frau blodau o blant.

R. E.

Darllenwyd mewn cyfarfod teyrnged i R. E. Jones, Llanrwst yn y Babell Lên yn Eisteddfod 1989.

Dyled un wrth sawdl ei dad — yw 'nyled;
    Calon pob ysgogiad;
  R. E. oedd fy ymroddiad,
  R. E. yw 'nyfalbarhad.

O. M. Roberts

Wrth ei anrhegu i gydnabod ei waith fel Cadeirydd Pwyllgor Gwaith
Eisteddfod Genedlaethol Dyffryn Conwy a'r Cyffiniau, 1989.
Eryr tywysogion Gwynedd oedd sail logo'r Eisteddfod honno.

Gwerinwr ac arweinydd, — i'w hen ŵyl
    Yn Llywelyn celfydd;
  Gwas o urddas yma sydd:
  Aderyn o Gadeirydd.

Tywysog, ac un o'r hogiau, — ar hyd
    Y brwdfrydig oriau'n
  Gwneud ei waith ag ynni dau:
  Hen eryr ein pwyllgorau.

Seiri meini

*Achos arwerthiant hen dŷ'r gweinidog ym Mhenmachno a sylwadau rhai o
swyddogion swyddfa ganolog enwad y Methodistiaid ar y pryd sydd y tu cefn
i'r penillion hyn.*

Yr oedd, yn y bore, un maen ar y mynydd
Yn nannedd drycinoedd y corwyntog rai;
Ei bregeth yn graig a'i egwyddor yn garreg,
Maen tymhestloedd Mawrth; maen tangnefedd Mai.

Yna, daeth dynion â throsolion a thresi
A threiglwyd y maen i lawr i'r cwm;
Rhoed cŷn mewn clwyf, ebill mewn archoll;
Llyfnhawyd wyneb y cariad llwm.

Henaduriwyd y galon yn gapel carreg;
Cyfunderfnwyd y chwyldro'n sedd fach a sedd fawr;
Gwnaed porth o ffawydd coch â phres y casgliad
Ac ni ddaw Mawrth na Mai i mewn yn awr.

Aeth llychyn i'w llygaid, peswch i'w sgyfaint
Wrth chwarela eu teml yn feini tlws,
Wrth naddu eu noddfa, toi eu diddosrwydd
A thaflu y sglodion y tu allan i'r drws.

Ac am nad yw'r meini fel y maen yn y bore
Pan oedd yr haul ar ei rychau, y gwynt yn ei waed,
Gyda'i safiad yn serth a'i gysgod yn llety,
Mae'r llwybr at y porth yn crensian dan draed.

Medi 1989

Cadw gŵyl

Pan fo cadw noswyl yn fwy na chynnau'r switj
A throi'r melys drwy y chwerw mewn niwl o goffi du;
Pan fo, rhwng gwaith a gwely, er ei bod hi'n dywyll bitj,
Danio matsian rhyw gymdeithas a'i golau'n llenwi'r tŷ;

Pan fo cadw dyddgwyl yn fwy na chofio'r dêt
Ac ailadrodd yr un araith heb losgi yn ei thân;
Yn fwy na ll'nau y sgidiau a chlymu'r tei'n sidêt,
Pan lwydda'r hen linellau i godi eto'n gân;

A phan fo cadw arwyl yn fwy na dagrau'r byd
A'r blodyn roed mewn hiraeth i wywo yn y clai;
Pan fo oes yn cael ei mesur wrth ei gwerth, nid wrth ei hyd;
Pan fo oriau yr adnabod yn betalau i'r annwyl rai:

Bryd hynny bydd y geiriau'n gynghanedd ar ein clyw;
Bryd hynny bydd y dyddiau'n cadw gŵyl er mwyn y byw.

Medi 1989

Beddargraff proffwyd tywydd

Oedd deyrn ar dywydd diwrnod — a gwyliai
   Argoelion pob cawod,
  Ond daeth un storm yn ormod,
  A diawl, ni welodd hi'n dod.

Beddargraff gritar ffordd

Er halen yn stôr helaeth — yn yr iard
   I droi'r rhew'n wlybaniaeth,
  Tan iâ'r gaea' y mae'n gaeth:
  Ni feiriolodd farwolaeth.

Beddargraff warden traffig

Y barcud aeth i barcio — ei hunan,
   Heb linell i'w gwylio;
  Ni ddaw un i'w wahardd o:
  Nid yw'r yw yn dirwyo.

Gŵyl y geni

Yma â'i obaith mae mebyd, — yn y gwair
    Y mae gwên ein bywyd;
   Mae'n nef ar ddaear hefyd
   A chawn o un bach wanwyn byd.

Nadolig

Dawel nos, gosod hosan — a rhywle
    Mae carolau'n hwian;
   Daw Siôn Corn, daw seiniau cân
   O achos geni'r bychan.

Nadolig 1989

Y mis bach

Er cof am Opyreshon Bryn Coch.

Yn Berlin, daw haul gorfoledd drwy y craciau;
Yn Bei-shing, mae plant yn sefyll o flaen tanciau.

Yn Rwmania, mae'r baneri'n dathlu'r ŵyl;
Mae rhyddid ar ysgwydd gwerin yng ngwlad Pwyl.

Mae cadwynau'n llacio wedi'r dyddiau caeth
A thorfeydd Mandela sy'n dawnsio ar y traeth.

Ond goddef wnei di Gymru, yn dawel ac yn dlos,
Sŵn traed Seciwritate yn oeri oriau'r nos.

Chwefror 1990

Dwyrain Ewrop 1989-90

Y mae, wedi heth, eto orymdeithio
A gwres eu gwerin sy'n tagu'r sgwariau;
Un fesul un, fe ddônt yn filiynau
I hogi eu dannedd ar gadwynau;
Pobol y ffydd a'r golau — sydd yn ben
A threch yw heulwen na thrwch y waliau.

Mawrth 1990

Gaeaf ar y bryniau

Lluwch o heddwch sydd ar y llechweddau
A chlwy'r pibonwy sydd yn y bannau;
Yno mae'r rhewynt yn crymu'r rhiwiau
A Rhagfyr sy'n gur ar yr esgeiriau,
Ond gwelaf fod haul ein hafau'n — troi'r rhod:
Mae yno'n wincio dros ael y bonciau.

Mawrth 1990

Waliau cerrig

Pentref ymddeol, pentref i fynd iddo am jam a hufen ar bnawn Sul yw'r Ro-wen i lawer erbyn heddiw. Ond yno yr oedd fy nhaid yn byw ac yn gweithio ar y ffyrdd a'r ffosydd.

Ar ffyrdd y Ro-wen, gyda'i gaib a'i gryman,
Nid oes sôn am lenthman erbyn hyn
A gafniodd ffosydd, a gododd gerrig
O fferm Caerhun i bont Hafoty Gwyn.

Rhoed Dic Parry draw ym mhridd Celynnin
Wedi i'r gaeafau rychu'i wedd,
Y chwithdod ar ei ôl yw'r dail di-ysgub,
Bwlch yn wal y mynydd yw ei garreg fedd.

O sied y beics, fin nos, ni ddaw sŵn y siswrn
Na snip o dynnu coes gan farbwr hogiau'r plwy,
Mae blodau yn rhialtwch drwy y pentref
Ond prin yw'r rhosyn mynydd yno mwy.

Ac ar bnawn Sul, daw hogyn o'r hen ddyddiau
Wyneb yn wyneb â Volvo'r te a sgon;
Sgid ar jipins rhydd ar ffordd rhy gul i basio
A'r waliau cerrig afon yn gwenu, bron.

Nid hoff gan fwldog gwarrog yw rifyrsio,
Ond disymud yw y fansan y tro hwn;
Mi allwn aros yma tan yfory
Yn edrych ar y grefft fu'n cloi y meini crwn.

Gwg a rheg; yna mae'r Yorkshire pwding
Yn mygu'n las yn ôl at le i ddau;
Dwylath rhwng ei baent a'r cerrig; arswyd yn ei lygaid . . .
Mae safiad muriau mebyd yn parhau.

Ebrill 1990

Cled

Plygwr gwrychoedd tan gamp a thelynegwr cywir o Bandy Tudur oedd Cledwyn. Bu farw'n greulon o ifanc ym mis Mai, pan oedd y drain gwynion yn eu blodau.

Yn nhwf y drain, mae'i fedr o — yn gwynnu
    Yn gân wrth ei gofio;
  Hwythau'r cyll, ym mhlethau'r co',
  Gan ei wên sy'n gwanwyno.

Mai 1990

Syl Ellis

Dyn mawr ydi Sylfanws Ellis, Ysbyty Ifan. Wn i ddim am ei ystadegau corfforol yn iawn, ond mae'n wyth troedfedd ac ugain stôn o gymeriad hefyd. Parod ei gymwynas wrth arwain noson ac wrth ei fodd yn gwneud hynny. Mae'n adeiladydd a threfnydd angladdau wrth ei waith bob dydd ac mae'i galon cymaint â'i ddwrn.

Mae ambell un ym mhob llan
Yn fwy nag ef ei hunan,
Yn beiriant, yn hen bero,
Yn ferw o hwyl yn ei fro,
A thi, Syl, yn ein plith sydd
Yn wahanol dy ddeunydd;
Yr wyt wâg o seis ar-tíc,
Ein dwy dunnell o donic,
Ac yr wyt ti'n gwmni gwyn,
Yn hen goes ac yn gêsyn.

Wyt fawreddog dy fogel,
Tynn dy fol wyt dan dy felt;
Wyt o gorff gymaint â gwedd;
Wyt solet; wyt o sylwedd;
Wyt ŵr gyda mwstash dau;
Wyt seidlocs hyd dy sodlau.

Wyt ffrwd o ddiwylliant ffraeth,
Yn gymêr heb gymhariaeth;
Wyt un gyda'r wit honno:
Aderyn brith straeon bro,
Yn las dy ddawn, â chlust dda,
A hen law ar chwedleua.

Noson Steddfod neu'r Odyn,
Eto i'r dorf, ti yw'r dyn;
Mewn wist, yr wyt yma'n wên,
Wrth y llyw'n gymorth llawen;
Ein tad yn 'Sbyty ydwyt
A Thryfan Tir Ifan wyt,
Rwyt yma'n Wyddfa o was,
Ein mynydd o gymwynas.

Hen elfen sy'n dy sylfaen:
Wyt yn blwmp ac wyt yn blaen
A dannod yw dy einioes,
Hanner call o dynnwr coes,
Ond, er hyn, heb beri drwg
I'r galon sydd o'r golwg;
Yn ddidwyll dy ddywediad,
Un glew wyt; wyt ein cefn gwlad

Ac o'r pridd yr awn iddo
Y daw'r reddf — a'r iaith — ar dro;
Yn hwyl iach dy fyd di-lol,
Mae rhaw yn rhaw fel rheol.

Wyt yr un sy'n taranu;
Wyt wên ar wyneb y tŷ;
Wyt ddwylath ac wyt ddiawliwr;
Wyt, yn ein rhaid, dyner ŵr:
Syl y gymwynas olaf
Ar awr o brawf â'th air braf,
Yn llaw a chefn mewn lli chwyrn,
Yn ysgwydd i flin esgyrn,
Yn rhwyfwr yn yr Afon
Yn ein dal o don i don.

Wyt â hawl un o'r teulu
A mab wyt, wir, ym mhob tŷ;
Un wyneb wyt, o un bôn,
Ac eli wyt i'r galon;
Wyt gawr ac wyt y gorau
A all o'n nos ein llawenhau;
Wyt wên y grug; wyt ein gwraidd;
Wyt darw ac wyt waraidd;
Wyt lew hen ac yn llanc tlws:
Hen foi iawn wyt Sylfanws.

Mai 1990

Y cwmwl coch

*Rhwng 1860 a 1890, chwyldrowyd byd Indiaid Cochion y paith o fod yn
llwythau rhydd i fod yn ychydig weddillion eu hil ar y tiroedd cadw — sydd
fawr gwell na charchardai mewn anialwch iddynt o hyd. Pobl heddychlon,
waraidd oedd yr Indiaid cyn i'r dyn gwyn anrheithio'i wlad — roeddent yn
cyd-fyw gyda'r byd o'u cwmpas, yn hytrach na byw ar draul y byd hwnnw.
Credent fod popeth byw yn ysbrydol. Nid oes air am 'anifail' yn eu
hieithoedd hwy. Bu sawl lladdfa waedlyd pan ymosododd y milwyr
Americanaidd ar deuluoedd diamddiffyn yr Indiaid a'r olaf o'r rhain oedd
Wounded Knee, ychydig cyn y Nadolig, 1890. Red Cloud oedd enw un o
arweinwyr olaf Indiaid y paith.*

Ni welaf ond tawelwch — 'hyd y paith,
    Dim ond poen ein heddwch;
   Hwn yw'r tir llwfr, tir y llwch;
   Hwn yw tir difaterwch.

Ni welaf ond gorwelion — caeëdig
    Tir Cadw y Cochion;
   Dileu ein hen chwedleuon
   Wnaeth tir y gaethiwed hon.

Tywodyn o'n treftadaeth — a erys,
    Ond er tiroedd llywaeth
   Fan hyn, mae yn brifo'n waeth
   Anialwch ein bodolaeth.

Yn llinyn trist, at dwristiaid — y down
    Am gil-dwrn, drueiniaid;
   Henwyr llesg yn un â'r llaid
   Yn ddiddannedd, ddi-enaid.

Doleri am ein doluriau — ac aur
    Am gwymp ein cyndadau;
   Y mae'r wên i'r camerâu
   Yn wyneb i'n cadwynau.

Ein hela fel bwystfilod — wneid un waith,
    Ond, â ni ar ddarfod,
    O'r helfa mae'r dyrfa'n dod
    Â'u dagrau uwch hen deigrod.

Bidog yw eu nawddogaeth — a gwenwyn
    A gawn o'u cynhaliaeth;
    Eu hanwes sydd fel blaen saeth
    A'u hwylo yw'n marwolaeth.

        *   *   *

Rhowch i mi dyweirch mwyach,
Nid byw yw byw'n ara' bach;
Rhowch ben ar ymdrech y byd
I drymhau stori 'mywyd;
Rhoddwch i gorff harddach gwedd
Yw'r dyhead o'r diwedd.

Agorwch ffiniau'r gweryd
At hyfrytach, burach byd;
Fan'no y daw f'enaid i
O'i gell, a chyn ei golli,
Caiff gerdded eto'r gwledydd
Oedd i'r hil yn ddaear rydd.

Mae ei ddoe yma i ddyn,
Yma a rydd imi wreiddyn;
Fan hyn, mae'r cofio'n wynnach,
Fan hyn, mae fy nghlwyfau'n iach;
Yma rwy'n gweld meirwon gynt
Eto'n dwyn anadl atynt.

Mae'r eryrod yn codi
Fry yn uwch na'n cyfeiriau ni;
Hen do yr hil ydyw'r rhain
Yn lledu'u hesgyll llydain;
Mae'n helfen yma'n eilfyw,
Mae'r meidrol yn fythol fyw.

Maen nhw yn gwmni o hyd
Dan don yr afon hefyd;
Gwŷr y graig yw'r eogiaid
Yno'n llam uwch myllni llaid:
Hen wŷr sy'n egni arian
Ac mae'r chwedlau hwythau'n lân.

Yng nghynefin y pinwydd,
Mae'r arth, y piwma a'r hydd
Yno'n rhodio'n ysbrydol:
Dewrion ŷnt 'ddaeth adre'n ôl;
Y mythau, maen hwythau'n wir:
O farw fe'n hadferir.

*   *   *

Nid oedd marwolaeth na chwaith hiraethu
Yno i'r tylwyth cyn alltudio'r teulu;
Y dyddiau gwell oedd yno'n pabellu
A ger ein tân, yr hen griw'n tywynnu:
Haul hen genedl yn gwenu — ond gaeaf
Ein wigwam olaf oedd ar gymylu.

I anwar erwau, daeth byddin arwrol
A bwrw eu dur drwy'r plant brodorol;
Y nhw â'u Beiblau, ninnau'n annynol;
Y nhw â'u ffyniant, ni â'n gorffennol;
I hil yr haul, 'doedd le ar ôl — fan hyn:
Roeddan nhw'n wyn; roeddan ni'n wahanol.

Saethu tra'n gwenu a wnâi y gynnau
Ac ar y borfa roedd gwŷr heb arfau;
Tryferu anadl o blant ar fronnau
A bwydo'r fflam gyda chyrff y mamau,
Troi beioned trwy bennau — oedd eu gwaith
A bu'r paith yn llaith gan waed ein llwythau.

       *   *   *

Gefn nos, â'r gaeaf yn oer,
Â'i hanesion yn iasoer,
Daeth llwyth o'i deithio llethol —
A hwnnw'r un llwyth ar ôl —
I ildio'i wlad a'i hawliau'i hun
I gael trugaredd gelyn.

Ar redeg ers tri degawd,
Ar ffo, ym mhryder ei ffawd,
A dod wnaeth i Wounded Knee'n
Rhy hen i'r dagrau gronni,
Ei henwyr heb arweinydd
A'i do iau heb olau dydd.

Tua'r wawr y troai'r rhain
Ond oer oedd haul y dwyrain:
Poerodd y gynnau peiriant
Eu cwlwm plwm i gyrff plant;
Yr hil 'roed ar wely'r iâ
A'i chur yn y lluwch eira.

*   *   *

Pwy all ddarogan gwanwyn
 dwrn lleddf hydre'n y llwyn?
Hen ddeiliaid bröydd helaeth
Sy'n gwywo'n y canyon caeth;
Mwy ni cheir ond meini chwâl,
Un ac un ar baith anial.

O na bai eto'n y byd
Ail Fehefin, ail fywyd:
Ail hyder ym mhlu'r eryr
Ac ail gân yn galw gwŷr,
Yn nannedd eu hedwino,
I roi'u holl fryd ar well fro.

Mai 1990

Nant y Benglog 1990

Tybed beth ddwedai T. H. Parry-Williams pe gwelai Nant y Benglog
heddiw? Dyma beth a welais i, beth bynnag.

Anorac felynwerdd ar y graig fel fflem;
Ambiwlans mewn lê-bai a'i thrwyn hi at y Crem.

Ramblars o Runcorn yn eu dinas dent
A Wil Gwern Go' yn rowndio'r rhent.

Ar fy chwith, ar fy ne, Eryri wych ar daen
A chlamp o Chyci Chicin o fy mlaen.

Awyren isel ar adenydd croch;
Carafan hot-dogs a'i seins a'i sôs yn goch.

Staen atomfeydd ar y tir fel sgôth
A'r mogau'n magu'r gwenwyn yn y groth.

Afon Llugwy, rhwng dwy dorlan dynn,
Fel asid gwyllt yn ei hewyn gwyn;
Dyna'r cyfan, hyd yn hyn.

Mehefin 1990

Ein neuadd

Sgwennwyd ar ôl darllen Hanes Cymru *gan John Davies lle mae'r hanesydd, wrth ddarlunio gwrthsafiad ein cenedl yn wyneb pob bygythiad a goresgyniad ar hyd y canrifoedd, yn magu hyder ar gyfer heddiw a'n dyfodol yn ogystal. Mae fel adfer hen dŷ, gydag un genhedlaeth ar ôl y llall yn gwneud ei gyfraniad.*

Neuadd wen a oedd inni,
Neuadd oer heddiw yw hi:
Ni cheir ond gwynt yn chwarae'n
Chwil o'i mewn; chwalu y mae;
Ond hen gred gwyd eto'n gry'
Faen ar faen i'w chyfannu.

Mae cyplau brau, lloriau llaith
A chwymp lle bu ei champwaith;
Ei harddwch droes yn furddun,
Hen lwch gwael yw ei chalch gwyn,
Ond daw o hyd i'w choed hi
Oes arall pan ddaw'r seiri.

Neuadd y wledd a'r gerdd lân
Fu'n fyw o awen fuan;
Heddiw distaw'r gelfyddyd,
Hwythau'r hen furiau sy'n fud,
Ond daw llais eto i'w llwch
A thelyn i'w thawelwch.

Yn yr hen ardd, does brin ôl
O'r borderi brodorol,
Aeth y berllan yn anial,
Aeth y tw'n fygythiad tal;
Er hynny daw, drwy'r drain du,
Yma ddawn i'w meddiannu.

Neuadd wych Heledd yw hi
A'i hanes yw'n goleuni:
Ni welwyd hi'n adfeilio
Na bu trefn yn dod bob tro
I roi hoel drwy'r llechi rhydd
A pharhad i'w pharwydydd.

Mynnwn hi. Yma yn hon,
Ym mlerwch ei malurion,
Daw eilwaith nawdd i deulu
A daw'r tân i ludw'r tŷ;
Bydd afiaith, bydd iaith, bydd hi
Yn ei gwres yn goroesi.

Gorffennaf 1990

77

Louise Brown

Y ferch gyntaf a anwyd wedi i'r ŵy gael ei ffrwythloni mewn test-tiwb.
Englyn ymryson yn 'Steddfod Caerdydd '78.

Aderyn a'r hen stori, — i be' mwy?
    Ateb mam eleni
  I'w hanwylyd yn holi
  Yw: 'O dest-tiwb y doist ti'.

I gyfarch Elwyn Edwards

Cyfansoddwyd ar y cyd â Peredur Lynch, Casnewydd '88.

Wedi i wae'r storom dorri; — wedi i'r mellt
    Daro 'mysg y deri;
  Wedi dwyn d'un annwyl di,
  Y mae hedd yma iddi.

Y Cymro ar wasgar

Ei wên aur yw'r haint Gwenerol — ar y Maes
    Wrth roi'r mwyth blynyddol
  I fflyrten o'i orffennol,
  Chwythu cusan, yna'n ôl.

Huw Sêl

Mae sgwennu yn medru bod yn waith unig ac mae posib colli golwg ar bethau a bod yn rhy fewnblyg weithiau. Ond mae sgwrs efo Huw Selwyn Owen, saer gwlad a bardd o Ysbyty Ifan, yn siŵr o blannu traed dyn yn ôl yn gadarn ar y ddaear.

Ym mro'r mawn, ar brynhawn hwyr,
Welais innau gael synnwyr,
Ac mi af, pan ganaf gân,
Ar drafael drwy Dir Ifan
I ofyn i Huw ei llyfnhau
A rhoi'i gŵyr ar ei geiriau.

Cochliw yw'r sinc uwchlaw'r sied,
Hwythau'r muriau cyn noethed;
Y drws yn hŷn na dresel —
Nid o'r paent y daw'r apêl!
Cwt yw hwn i rai cytûn
Eu mawl i'r ffisig melyn.

Huw yw'r gwalch ym mro'r Gylchedd:
Direidi'i air ydi'i wedd;
Sigo dyn wna'i sagâu dal
Y ffesant anoffisial
Ac mae'n lli ffraeth wrth draethu'i
Straeon brwd o stôr hen bry'.

Af i eistedd efo'i estyll
A gwylio'i ddwylo a'i ddull:
Y saer wrth ei bleserwaith
Yn araf gael arfau gwaith
I roddi llun i gerdd llaw,
Y dalent mewn deheulaw.

Mae 'na heddwch mewn naddion
Yn seiat awr y sied hon;
Peri ias mae cyffwrdd pren,
Ogleuo y rhisgl ywen,
Ac ar glyw mae geiriau gwlad —
Y mae'r saer mewn hwyl siarad;
Mae rhamant Cymru imi
Ym mrawdgarwch y llwch lli.

Yma, unwyd amynedd
Ar fainc y medrau a fedd
A pharhad fel parhad pren
Rydd Huw i gerddi'i awen.

I mi, Saer yw'r mesurydd
A hen sail i'w amcan sydd:
Erioed, wrth edrych coeden,
Drwy'r pridd mae'n llygadu'r pren;
Mae dawn ym mwrlwm y dyn
Gyrhaeddith at y gwreiddyn.

Gan iaith y lluniwyd ei gnawd
Ac i'w fedd, digyfaddawd
Yw'r gŵr hwn; ni wn am neb
Â'r un graen a gwarineb.

Yma'n y cwt, mae min cŷn
Yn gywirwr sawl geiryn
Ac mae plaeniad go gadarn
Yn rhwyddhau ystyr rhyw ddarn;
Oedi, a chraffu wedyn,
Er sŵn da a'r asio'n dynn.

Trin y pren a'r awen hon
Wna'r tywysog morteision
Ac mae'n braf yn y shafins
Efo Huw Sêl a'i fashîns.

Mwg ei dân sydd wahanol,
Daw o fflamau oesau'n ôl;
Nid rheol iddo'r trowynt,
Ni wyra'r gŵr gyda'r gwynt;
Mae'n ddeddf, yn reddf ar wahân,
Yn ŵr rhyfedd Tir Ifan,
Yn gall o dan ei gellwair,
Yn goch ei waed, gwych ei air.

Hedyn o'i ydlan ydwyf
A mesen o'i awen wyf.

Gorffennaf 1990

Gari Williams

Ni wêl henaint mo'i glownio; — nid â ei hwyl
    Yn dawelwch ynddo;
  Yn ei ddawn, hogyn fydd o,
  Yn ei wit, bachgen eto.

Dafydd Charles

Gynt o Pennant, Melin-y-coed.

Y dyn gynt a'i dân i gyd, — y dyn brwd,
    Sydd dan bridd disymud;
  Ond rhoes irder i'w weryd
  Ac o'i ôl mae'i gaeau ŷd.

I gyfarch Delyth

Enillydd tlws Pat Neil —
cystadleuaeth farddoniaeth i blant ysgolion cynradd.

Dy lais yw'r freuddwyd lasach, — yn dy gân
    Mae byd gwyn, hyfrytach;
  Pa awen sydd amgenach
  Nag awen y feinwen fach?

Rhannu hwyl cynnar ein hynt — wna'r geiriau,
    Oriau gwirion oeddynt,
  Dwyn i go'r breuddwydion gynt
  Â tharth o hiraeth wrthynt.

Talent yn ei phetalau — wyt, Delyth,
    Talent yn ei blodau'n
  Galw'n ôl y galon iau,
  Rhoi swyn ar hen rosynnau.

Cwm Rhymni, Awst 1990

Maes Garmon

Yn ôl y chwedl, cafodd Garmon a byddin o Frythoniaid fuddugoliaeth ysgubol ar y Saeson ger yr Wyddgrug drwy guddio mewn llwyni coed a neidio o flaen y gelyn gan weiddi 'Haleliwia!'. Bu iaith yn arf erioed! Comisiynnwyd y cywydd gan Aled a Beryl Lloyd Davies ar gyfer cyflwyniad arbennig yn Eisteddfod Bro Delyn. Fe'i canwyd gan Gôr Merched Glyndŵr.

Mae rhyw ddoe yma ar ddi-hun
Yn y dail ar goed Alun
Ac mae dwylo'n cydio carn
Ger maes lle gwyra masarn;
Yn y tw' brigau tywyll,
Garmon sy'n cuddio'n y cyll.

Gwelodd gynt gloddiau o gân
A choetgae'n llam a chytgan;
Gwelodd, yn wyneb gelyn,
Hyder ei wŷr drwy yr ynn
Yn hawlio tir eu heulwen,
Ennill yn ôl gwinllan wen.

Mae'r helyg ym mro Alun
Yn drist eu stori, er hyn:
Daeth hollt drwy'r warchodaeth hon
A chaed bwlch drwy'i choed beilchion;
Llwybrau oedd beddau byddin,
Llwybrau drwy waed lle bu'r drin.

Drwy'r gwyll, ni ddaw nodau'r gân
Nac unllais gwŷr ein gwinllan;
Daeth, drwy hengoed a choed chwâl,
Adwy drwy dir y Rhual;
Draw yn gwymp mae'r cedyrn gynt;
Mae'r gwern heb Gymraeg arnynt.

Ond o'r dail drwy ryd Alun,
Garmon a ddaw eto'n ddyn;
O goed, o gyll, gyda'i gân,
Daw â'i eiriau yn darian
I'r llannerch, ac o'r llwyni
Daw'n ôl ein cynheiliad ni.

Yng ngwlad Dyfrdwy'r adwyon
A'i phoenau hi'n y ffin hon,
Heddiw'n uwch cyhoeddi wna
Alawon 'Haleliwia!':
Yma o hyd y mae iaith,
Yma hefyd mae afiaith.

Awst 1990

Cig Oen Cymru

*Ar gyfer llyfr o rysetiau cig oen a gasglwyd
gan wragedd fferm Dyffryn Conwy.*

Seigiau gorau ein gwerin — a dewis
    Digon da i frenin,
  Oen Cymru'n fenyn ar fin
  Yw'r cig ar gyfer cegin.

Yn bedwar ugain oed

Fel erioed, y mae'r goeden — eleni
    Hyd at flaen y gangen
  Yn lliw braf drwy ei holl bren,
  Yn dalent ymhob deilen.

Afon Conwy

Os oes dŵr yng nghoch fy ngwaed,
Fe'i caed o afon Conwy;
Wyneb llyfn a chrych ei lli
Fydd ynof i tra byddwy'.

Weithiau'n aber, weithiau'n nant
Fel pawb o blant ei bryniau;
Weithiau'n dad ac weithiau'n dair
Yw'r cellwair ynof innau.

Weithiau'n fore'r dyfroedd clir
A'r tarth yn hir yn codi,
Mai yn drifftio yn ei drych
A'r freuddwyd wych yn gloywi.

Weithiau'n Fawrth a'i lled fel llyn
Ym melyn ei llifogydd
Mewn cynddaredd yn y glaw
Yn bwrw'r baw o'r glennydd.

Weithiau'n byllau'r dychryn du
Sy'n llyncu'r holl eneidiau;
Weithiau'n llam yr eog gwyd
O'r llonydd llwyd i'r golau.

Os oes dŵr yng nghoch fy ngwaed,
Fe'i caed o afon Conwy;
Wyneb llyfn a chrych ei lli
Fydd ynof i tra byddwy'.

Medi 1990

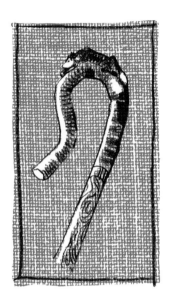

Gwyn a Cwîn

Am y trydydd tro, enillodd Gwyn Cae Llwyd, Penmachno y brif wobr yn y
Treialon Cŵn Defaid Rhyngwladol ym 1990. Cynhaliwyd y treialon yn
Alnwick, Northumberland ac ef a'i ast Queenie oedd y gorau o ddigon.

Mae Machno'n llifo fel llaeth
O gael y fuddugoliaeth
A'r fro yn rhwyfo'r ewyn
Yn un â gwefr Cwîn a Gwyn;
Trioled y treialon
Heddiw yw'r dŵr chwydda'r don.

Daeth i Loegr y dethol haid
Heibio gŵyl y bugeiliaid,
Ond er bwriad rhyngwladol,
Y rhain a aeth adre'n ôl
Yn dlawd a distadl o hon:
Cae Llwyd oedd eu colledion.

Gwyn a Cwîn oedd gwên y cae,
Do, a churo fel chwarae;
Teirgwaith yn taro'r targed —
Ni bu 'rioed ffasiwn barêd!
Yno'n ei breim, dyn o'n bro
Yn un gyda'r ast honno.

Un ddeddf yn rheoli'r ddau;
Un deall wrth adwyau;
Un ust, un wib, un chwiban;
Un ddawn fawr oedd yn y fan;
Un clyw drwy ganol clwydi
Ac un gweld rhwng Gwyn a'i gi.

Medi 1990

Ar fy Stondin

O dro i dro, bydd gwrando ar y drafodaeth ar 'Stondin Sulwyn' yn fy ysgogi i sgriblo rhyw bennill am ryw bwnc neu'i gilydd.

Hedfan isel

Dros steddfod neu sioe neu gymanfa:
'Boms awê', 'Wa-hŵ' a 'Reit-on!'
Ond od sut y maen nhw'n byhafio
Os oes 'na gynhadledd yn Breiton.

Sul y Cofio

Beionets, Cadets a Bwlets —
Beth 'wnelo'r rheiny, meddwch,
Â chofio'r lladd a'r llanast
A dysgu byw mewn heddwch?

A.S. Caerfyrddin

Cewch un sydd am redeg bob amser
A chynffoni i'r rhai sydd mewn bri:
Tra bydd yna fwldogs drws nesa,
Bydd pwdyl o hyd yn tŷ ni,
A phe rhown i Ddoctor Caerfyrddin
Ar soffa seiciatrydd go dda,
Cawn gês o gymhlethdod y taeog
— A hwnnw'n gês 'Categori A'.

Teulu o eliffantod ifori

Wedi gweld ffilm ar botsio eliffantod am eu hifori ym Mharc Cenedlaethol
Tsavo ('Safo'), Kenya y sgwennwyd y penillion hyn. Yn eironig iawn,
defnyddir peth o'r ifori i gerfio ffurfiau gosgeiddig o eliffantod. Does bosib
bod gwerth celfyddyd yn uwch na gwerth bywyd?

Mae llyfnder oriau llafur
Y cerfiwr ar eu crwyn,
A'u golwg mor naturiol
Fel petai wedi'i ddwyn;
Mae'r ifori yn cadw
Y teulu hwn rhag marw:
Nid Kenya bia'u cwyn.

Mae cynffon bwt yn siglo,
Mae troed ar hanner cam
Ac mae llo bach yn sgleinio
Yng nghysgod gwyn ei fam,
Fel petai yn synhwyro
Ei fod, yng ngofal honno,
Yn saff rhag unrhyw nam.

Mae trwnc pentarw'r tylwyth
Yn codi'n rhybudd fry
A'i glustiau fel angylion
Gwarcheidiol dros y llu;
Maent yma, ben wrth gynffon,
Yn cerdded fel ysbrydion
Yn rhydd o'r dwylo du.

Eu cyrff sydd mor ddigyffro;
Eu stŵr, mor ddistaw yw;
Heb olau mae'u canhwyllau
Ac o, mor drwm eu clyw;
Er gwaetha'r gyllell gelfydd
Nid oes ond lluniau llonydd
Lle bu holl gyffro byw.

O chwalfa y Safanna
Y cerfiwyd teulu tynn,
Ond coch yw priddoedd Tsavo
Lle bu y gyrroedd hyn
A chollwyd yn y gwaedu
Y bywyd gadd ei naddu
O ysgerbydau gwyn.

Hydref 1990

Brawd

Ni rannwn yr un rhieni — dwy groth
    A dau grud 'roed inni,
  Ond rhannu'r un trueni
  Wna'i friwiau ef fy rhai i.

Dewi Pws

Wedi gwrando arno'n rwdlian ar y radio am ei ganeuon.
Yn ôl Dewi, cân am ferwi ŵy yw 'Cymer ddŵr, halen a thân'!

Ar goctels neu ar gactws — mae Dewi,
    Mae'i firi fel feirws;
  Un bisâr, ond boi seriws
  Dan y paent — dyna yw Pws.

Stamp

Yn nhegwch glas ei lygaid, — yn ei ddull
    O ddweud ei lafariaid,
  Yn ei wên a'i ochenaid,
  Tydi hwn 'run sbit â'i daid?

Maes parcio'r Eisteddfod

Am un car mewn aceri — y chwiliaf
    Fel un chwil, gan holi:
  'O'r ŵyl fawr a welaf i
  Ymadael cyn fis Medi?'

Yr Afon Fawr

Pan oeddwn yn hogyn yn Llanrwst, roedd yr 'Afon Fawr' yn fygythiad parhaus i seleri a strydoedd y dref. Os byddai lli ac os byddai llanw uchel ar ben hynny, byddai'r dref bron yn ynys yn fuan iawn ac ar adegau felly roedd hi'n arferiad i 'fynd i weld yr afon' cyn mynd i gysgu. Bellach, cryfhawyd y cob ger y dref ac mae'r llifogydd yn peri trafferthion mewn rhannau eraill o'r dyffryn — ond mae 'na rywbeth ynglŷn â'r hen Afon Fawr yna o hyd.

'Sut mae'r Afon, deudwch?' yw'r holi ar y stryd;
'Pryd bydd hi yn benllanw?' fel tae hi'n ddiwedd byd;
Mae'r dodrefn yn y llofftydd a'r sandbags yng Nglan Rhyd.

Am hanner nos, mae'r ffordd gan ofid tre yn ddu;
Mae amau a fydd bwa'r bont yn ddigon cry'
Ond sgotwrs o Gae Person sy'n gwenu dan eu plu.

Lli isel mis Gorffennaf a foddodd ferch un tro;
'Paid meiddio mynd i'w golwg' yw siars holl famau'r fro
Ond peithon ydi'r afon i blentyn ar ei gro.

Mae hogyn bach, wrth fynd am dro, yn plagio'i daid
I fynd â fo at lan ei lli i daflu cerrig naid,
A hwnnw'n hen, am gael ei gofio'n glên, mae'n rhaid.

Mae'n haf, a'r plant sydd ynddi, o dan yr yw a'r tŵr,
A'r rhesi cerrig gleision sy'n atsain gan eu stŵr;
Mae'r gwartheg wrth Bont Gower â'u carnau yn y dŵr.

Mae'r cyplau'n cerdded drosti pan fo Awst fel swig o win;
Tu ôl i sied Parc Gwydir, mae ambell i Doreen
Yn edrych ar y sêr a gwlitho bochau'i thîn.

Daw'r hen at dro Pen-bont a phwyso ar y wal,
Mwynhau yr haul Mihangel, tra bo hwnnw'n dal,
Gan boeri i'r lli yn braf oddi ar eu llwybr tal.

Ond ysfa 'mynd i'r afon' ddaw weithiau ar ei hwrdd,
Rhoi trefn ar bethau'r tŷ, rhoi nodyn ar y bwrdd
A gadael i'r Pwll Mawr olchi'r poenau i ffwrdd.

'Sut mae'r Afon, deudwch?' Er bod hogia'r Je-Si-Bi
Wedi cryfhau y cob, arallgyfeirio'i lli,
Mae lledrith ei lliwiau llyfn yn dal i 'nhynnu i.

Tachwedd 1990

'Walkers' Wood'

Bore hydrefol hyfryd oedd hi a Betws-y-coed bron yn wag o ymwelwyr.
Lliwiau gwych ar y coed, dim acenion main i'w clywed ar y llwybr — oedd,
roedd hi'n foment farddonllyd. Ond yna, dyma'r bychan yn holi a dyma
weld bod y fusutors wedi gwneud llanast o'r lle mewn mwy nag un ffordd.
Dyna'r drwg efo'r diwydiant ymwelwyr — maen nhw'n dod yma gan
ddyheu am baradwys ac yn mynd o'ma gan adael y lle'n stomp.

'*Oes 'na enw ar y coed 'ma, Dad?*
— *I mi gael dweud y stori fawr wrth Taid.*'
'Coed Llugwy ydi'r enw arnynt, was,
Ond *Walkers' Wood* sydd yn y *Betws Guide.*'

'*Pam fod y dail ar hyd y ddaear, Dad?*
Pam fod eu lliw run fath â crisps yn awr?'
'Mae popty'r hydref wedi'u rhostio, was,
A'u taenu'n wledd ar hyd y llawr.'

'*Ble ddaeth hon, y ddeilen felen, Dad,*
A dannedd mân ar hyd ei hymyl hi?'
'Mae'i chwiorydd ar y gollen acw, was,
Sy'n rhannu ei gofidiau gyda'r lli.'

'*A hon, run lliw â cheiniog newydd, Dad?*'
'Mae twll ym mhwrs y ffawydd, beryg iawn.'
'*A'r rhain, fel darnau o jig-sô 'ta, Dad?*'
'Y dderwen acw ydi'r llun yn llawn.'

'*Oddi ar pa goeden y daeth nacw, Dad?*
Mae'n wyrdd a glas, mae'n sgleinio yn y mwd.'
'Paced o *Walkers' Crisps* 'di hwnna, was,
Ar ôl y rhai fu'n crwydro *Walkers' Wood.*'

Tachwedd 1990

Estyll derw

*Derbyniwyd astell ddarllen dderw yn rhodd yng nghapel Penuel, Llanrwst
yn Nhachwedd 1990. Lluniwyd hi gan Huw Selwyn Owen ac fe'i
rhoddwyd er cof am ddau o hogiau'r ardal a laddwyd yn yr Ail Ryfel Byd:
Emrys Jones, Park View a David Jones, Garth y Pigau. Lladdwyd Emrys
yn Ffrainc yn 22 oed ym 1940, ond ddwy flynedd yn ddiweddarach y cafodd
ei deulu yn Llanrwst wybod am hynny. Lladdwyd Dei yn Bwrma ym 1944.
Trueni na fyddai mwy o 'gofio'r hogiau' yn cael ei wneud yn yr ysbryd hwn.*

Dwy flynedd o dragwyddoldeb
Fu'r teulu'n disgwyl gair
Nes clywed o Ffrainc fod Emrys
Yn gorwedd dan gae gwair.

A neges ddaeth o Bwrma
O frwydr y llau a'r coed
Yn dweud fod Dei mewn daear
Yn saith ar hugain oed.

'Doedd amser yno i angladd
Na chrefft y saer ychwaith
A brigau roed i gofio
Bod pridd gan waed yn llaith.

Buan y rhawiwyd drostynt,
Ond hir yn cau fu'r briw
Ar gof yr aelwyd honno,
Ar galon Nant-y-rhiw.

Heno, daeth saer â'i dderw
I'r ddau na chafodd ddim,
I gadw'r Llyfr ar agor
Wrth gofio'r beddau chwim.

Tachwedd 1990

Y Dolig hwn

Sgwennwyd ar gyfer rhaglen Nadolig gan Opus 30.

Petasai'r Dolig hwn y Dolig cyntaf un,
Y trimings fuasai tro 'ma o wahanol liw a llun.

Crud y Crist efallai'n focs carbord yn Nhre-lái;
Thatcheriaeth a threth y pen fuasai'n cael y bai.

Daethai o'r dwyrain ddoethion — drwy'r twll yn wal Berlin;
Cwynasem ninnau fod eu hanrhegion braidd yn brin.

Ni ddaethai o'r bryniau fugail — am nad oes yno ŵyn;
Nid ffoi i'r Aifft ar asyn ond mewn Sierra wedi'i ddwyn.

Nid mawl angylion glywsid, yn felys eu lleferydd,
Ond crawcian tangnefeddus y Tyrtles o'r gwterydd.

Ni chawsid, ar gacen, eisin — oherwydd yr osôn;
Am blannu coed, nid eu torri, y buasai'r plant yn sôn.

A'r stori hon, nid Luc a Mathew fuasai'n ei geirio
'Blaw singyl yn y siartiau a fidio'r siop heirio.

Ond Mair drachefn a glywsai y boen o fod yn fam
Â Herod yn hyrddio'i phlant yn erbyn plant Saddam;

Ac eto'n nhywyllwch Rhagfyr, seren a ddaethai'n olau;
Rhywrai, waeth befo'r trimings, ganasai'r hen garolau,

Ac yma gwelsid gobaith, i'r ddaear ac i ddyn,
Petasai'r Dolig hwn y Dolig cyntaf un.

Rhagfyr 1990

Diwrnod agored ar Epynt

Cyfansoddwyd y cywydd hwn ar gyfer Golwg *ar ôl gweld rhaglen deledu gan Uned Hel Straeon oedd yn adrodd hanes y diwrnod agored a drefnodd yr awdurdodau milwrol ar Epynt. Y diwrnod hwnnw, cafodd y rhai a drowyd allan o'u cartrefi yn blant gyfle i ymweld â'u hen ardal am y tro cyntaf ers hanner canmlynedd.*

A gipiwyd o graig Epynt,
Mehefin ei gwerin gynt,
A fynn drachefn droi i'w chôl,
Ffoi unwaith i'w gorffennol.

Ni ddaw'r hŷn; ni ddaw'r rhai iau
I fyd na roes brofiadau;
Mae'r hŷn tan ddaear arall
Ac mae'r cogau iau'n rhy gall
I oddef; ond mae gweddill
Yn byw â'u siom ymhob sill,
Rhyw weddill heb eu priddo
A heb wraidd ond yn eu bro.

Heddiw, drwy lythyr swyddog,
Daw'r hen oed i Dir Na n'Og
Yn flêr o grand, fel rhyw griw
'Ddaw i gladdu. Gwêl, heddiw,
Mae'r iaith ar y Burma Road,
Arni dim ond am ddiwrnod.

Gwladwr mewn dillad gwleidydd
Ar barêd mewn coler brudd,
Yna'r gweld yn briwio'i go'
A heddiw'n ei heneiddio;
Hen ddyn, a bedd ei wanwyn
Yno'n drist yn hendre'r ŵyn;
Bore'i ddydd tan bridd yw hyn,
Tyner oed tan y rhedyn.

Lle bu'r plant yn rhamantu,
Daw nain neu daid yn ei du;
Teidiau, heb iddynt adwy
I wneud myth o'u plentyndod mwy;
Eu glasoed yn henoed a aeth,
Diluniwyd eu chwedloniaeth;
Yn y datod di-atal,
Hen dŷ a dry'n bedair wal.

Roedd lle ym mhridd llwm yr allt
I fyw o ffordd y Fuallt;
Ni chwipiwyd harddwch Epynt
A'i ros gwyllt gan soldiwrs gynt —
Yma ar y waun, Cymry oedd
Yn hawlio tir y niwloedd.

Eto, ni wêl ein plant ni
Olyniaeth yng Nghilieni;
Ar y gweunydd mae'r gwenwyn
Eto'n ymlid — wedi dwyn
Yr isel dir er sawl dydd,
Dwyn y brwyn ar y bronnydd.

Troi y bobl o'u tre, o'u byd,
Rhwygo'r geiriau o'u gweryd;
O dir ddoe, dadwreiddio iaith,
Erthylu'r groth o'i thalaith.

Lle'r oedd elfen rhieni,
Daw siot dân. Nid oes i ti,
Gymru, na theulu na thir
Na chwsg ym mreichiau Ysgir.

Ionawr 1991

Y Babell Lên

Sgwennwyd ar gyfer y rhaglen
'Dros Ben Llestri' ar Radio Cymru.

I'r cwt ieir y cyd-dyrrent
Ddoe, a dod heddiw i dent,
A tha waeth — er cael nyth well,
Y bobol ydi'r Babell;
Daw'r adar â'u direidi,
Hen fois iawn tan Bi-Fi-Si.

Fan hyn, mae'r dyrfa yn wên,
Hwn yw lle'r doniau llawen:
Dawn ymadrodd, dawn mydru —
Mae'n dent talent ar bob tu;
Cartre'r elfen gynhenid
A rynwe brain o'r un brid.

I'r ŵyl, dônt i dorheulo
Tan hud Awst, a'r dent yn do;
Rhyw bell haul yw'r Babell Lên —
Corffŵ'r criw hoff o awen;
Mae'n Meiami i'n mamiaith,
Rifiêra aur haf yr iaith.

Fan hyn, daw'r hen gochyn gwâr
I'r talwrn fel rotweilar,
Gall y sglyfath roi brathiad
A'i ddiléit yw beirdd ei wlad;
Lle bo gwall a lle bo gwynt,
Chwyrna drwy'i flewiach arnynt.

Ynddi Teifi gwyd y to,
Mynd i hwyl a myn diawlio;
Yma mae'r ciw fel Môr Coch
A'i donnau'n cau amdanoch:
Mwyhewch hon yn chwim a chall,
Hanerwch y dent arall.

Mae heulwen ar ymweliad
Yr ysgolhaig a'r crys gwlad
Ac mae Cymru'n un fan hyn,
Yn dylwyth i'r un delyn;
Mae'n Hawai, y mae yn ne' —
Ibitha'r annwyl bethe.

Ionawr 1991

Yr 'Ooooo'

*Sef yr 'Ooooo' o werthfawrogiad ac o gyd-deimlo a glywid gynt yn yr hen
Babell Lên.*

Ochenaid oedd â chnawd iddi, — mor wâr
    Y Gymraeg oedd ynddi;
  O, mae griddfan amdani
A'r rhai a'i hanadlai hi.

Fawr o neb

Rhyfel yr olew, rhyfel y bancwyr — mae sawl label ar Ryfel y Gwlff — ond i ni adref, efallai mai rhyfel ar deledu oedd hi yn anad dim. O weld y lluniau ac wrth wrando ar eirfa'r gohebwyr, roedd hi'n anodd sylweddoli mai rhyfel erchyll ac nid gêm neu ddrama oedd ar droed weithiau. Roedd y bwletinau yn arfau mor hanfodol â'r bwledi ac roedd yr adroddiadau u'r jargon yn cymylu'r realiti bod plant bach yn gelain a bod llanciau'n dychwelyd adref mewn bagiau duon.

I botel, gwleidydd rydd beint o'i waed —
Chwifio'i law; rhoi gwenau;
I dywod mae'n disgwyl i lanc o'i wlad
Wagio'i wythiennau.

'Ni chollwyd eto *fawr* o neb,'
Medd gohebydd radio;
Dim ond rhyw ddau deulu neu dri
Fydd angen eu sadio.

Mae'r adroddiadau'n sôn am sgôr
A chôd rheolau
Fel 'tae modd gweld rhwng lladd a lladd
Wahanol olau.

Sioe dân gwyllt yw'r *carpet bombing*,
Nid plant mewn cadachau;
Ond lladdwr ydi'r *friendly missile*
Rhwng cromfachau.

Y bagiau dwylath bia'r dweud
Nad yw'n tawelu;
'Dyw geiriau 'mond yn dweud y gwir
Neu yn ei gelu.

Gaeaf 1991

Y cabinet rhyfel

Trist oedd y newyddion yn ystod Rhyfel y Gwlff ond mae'n rhaid cyfaddef i mi roi rhyw wên gam wrth glywed yr adroddiad am ymddygiad y cabinet rhyfel yn Llundain pan ymosododd yr I.R.A. ar eu hadeilad. Dyna lle roeddent, yn cynllunio marwolaeth hogiau filoedd o filltiroedd o faes y gad, ac fe'u dychrynwyd am eu bywydau pan glywsant glec yn yr ardd gefn. Mewn chwinciad, roedd y cabinet cyfan wedi sgrialu o dan y bwrdd.

Dewrion erioed fu seneddwyr gwlad
Wrth yrru eraill i ganol y gad.

Galw am aberth, galw am waed;
Codi mewn rhyfel heb godi ar eu traed.

Mae'n braf bod yn arwr ar sêt yn Whitehall
Ac arwain y milwyr o'r tu ôl.

Mae'n hawdd rhoi rhif ar esgyrn a chnawd
Heb weld y gwaed yn llygaid dy frawd;

Hawlio bod hogiau yn cael eu dileu
A gwneud y gwaith papur mae hynny'n ei greu;

A bod yn flaenaf ar ryw Dachwedd croch
Yng ngalar cyhoeddus y pabi coch.

Ond â nhw ar eu tinau o dan y bwrdd,
Daeth eu huffern eu hunain, am eiliad, i'w cwrdd.

Chwefror 1991

Heth Chwefror

Mae tywydd caled yn creu panig ond y mae hefyd yn creu cymdeithas. Pan fydd hi'n heth, mae gan bawb fwy o amser i gynorthwyo'i gilydd a phethau sylfaenol bywyd sy'n cyfri, nid y manion eraill. (Siop fara yn Llanrwst yw 'Sgilis'.)

Mae'r topia gan eira'n wyn,
Yn wely i fwy ddilyn,
A'r hen do gaiff wrandawiad
O roi ar glyw hen air gwlad:
'Grym mawr geir o eira mân';
'Mis y baich yw'r mis bychan'.

Rhew'n dew; Eryri'n duo;
Hen ddyddiau gwan 'ddaw i go';
Mae'r dur yn llym o'r dwyrain
A'i drofâu fel pladur fain
A thai'r plwy, yn eitha'r plu'n
Y nos, gadd eu hynysu.

Heddiw, ni ddaw bws addysg,
Mae'n giami am dacsi dysg,
Ond sbort yw cael diwrnod sbâr —
Mae'n grêt heb ddim un gritar.
Ofer sôn wrth Swyddfa'r Sir:
Ni wrendy'r rhain ar fryndir —
Maen nhw, heb frys, yn mwynhau
Halennu ffyrdd y glannau.

Y dref tan glwy'r landrofar,
Welis o Sgilis i'r Sgwâr;
Ofyrôls am rôls yn rhes,
Cynnwrf am fara cynnes;
Mae 'na bwnio, mae'n banics,
Coesau gwyllt tan focsus Cwics;

Mae clochdar diembaras
Am gawliau, am ganiau Gaz
A phlagus ryffio legins
Dan y baich o duniau bîns;
Criwiau taer sy'n stocio'r tŷ,
Cotiau oel mewn ciw talu.

Mae'r ffôn mewn tymer ffynni
A heb sain mae'r Bi-Bi-Si
A bydd toriad, ni wad neb,
Unrhyw funud ar Fanweb;
Heno ddaw'n ddi-hwyl, yn ddu,
Yn dlawd, yn ddi-deledu.

Ond o heth, cawn gymdeithas
Fel ffurfafen lawen, las;
Er rhewi'n sownd, gwerin sydd
Yn hel yn nhai ei gilydd;
Daw i aelwyd ei heulwen —
Mae'n oer, ond mae'r fflamau'n wên.

Drwy yr iâ, mae cyd-rawio;
Cyd-barhad sy'n cydio bro;
Cyd-nerthu, cyd-rannu rhwydd;
Yn y dasg, rhoi cyd-ysgwydd,
A threch cyd-ymdrech y dydd
Na'r rhynwynt ar y bronnydd.

Chwefror 1991

105

I gyfarch Gwynfor

Pan ddaeth at gymdeithas Padog yn ŵr gwadd.

Unig yw pob arweinydd,
Ni ŵyr ei dorf boenau'r dydd;
Oeri drachefn a chefnu
Yw hanes llwfr gwres y llu,
Ond heno i ni, ein tân wyt,
Ym Mhadog, ein fflam ydwyt.

Ym mhob ennill, mae baner;
Un gŵr, mynyddog ei her,
Un ar y blaen yn rhoi bloedd
Ar ran parhad gwerinoedd;
Hyn erioed, Gwynfor, ydwyt:
Ein draig yn y brwydrau wyt.

O San Steffan y doist ti
Yn ôl i'r hen gorneli;
Dod adref i bentref bach
I geisio byd agosach
Ac ymroi i'r Gymru hon —
Er ei mwyn, hybu'r manion.

Yma ymysg brodyr maeth,
Hen deulu'r ysbrydoliaeth,
Rho dy lef dros dir dy wlad
A rho hynaws arweiniad;
Erwau noeth yw'n Tir Na n'Og
Ond mae hadau ym Mhadog.

Gŵyl Ddewi 1991

I Nerys

Yn un-ar-hugain oed yn Ebrill 1991.

Dy helyg heddiw'n deilio — a dolydd
    Dy haul yn blodeuo;
   Holl liwiau byd foed lle bo
   Dy wanwyn yn dihuno.

Bore o Fawrth

Mae heulwen a chymylau'n — mynd a dod,
    Mwyn, a du yw'r oriau;
   Ym mhen y cwm, mae hi'n cau
   Gan niwl — ac yna'n olau.

Beddargraff Atomfa Traws

Na thafler uwch ei gweryd — un rhosyn
    Gan resi galarllyd;
   Parhau mae'i hangau o hyd
   A byw yw lladdwr bywyd.

Mawrth

Y mae o hyd Fawrth i mi,
Rhyw haul i'm hymwroli,
Rhyw ennyd byr o wanwyn
Yn rhoi'i law drachefn ar lwyn;
Rhoi'i wên ddewr ar ddraenen ddu
A rhoi hadau'r ailgredu
Yn ei wlad; mae'i ebol o
Yn rhoi trot drwy'r tir eto.

Pan ddaw dolef hydref hyd
Encilion y coed celyd,
Melyn yw'r ynn, a chrino
Mae'r haf wedi'i dymor o;
Daw'r nos ar ein hyder ni;
Rhy hawdd rhoi'r gorau iddi;
Ildio heb ddim cythreuldeb,
Ildio heb ffyrnigo neb.

Dal yn wyn mae'n dwylo ni
A glân wrth wangalonni;
Y ni, frwyn, yma'n llwfrhau
Na feiddiwn ond troi i faddau.
I Ionawr ei drais ganwaith,
Maddau'r rhaff am wddw'r iaith
A gorwedd ar blu'r gweryd;
Mae'r gors yn Gymraeg i gyd!

Mae'n llwm o'm hanallu i.
Yna, Mawrth, drwy'r storm, wrthi
Yn nannedd pob dwyreinwynt,
Yn mentro blaguro i'r gwynt.
Gwn y daw gwanwyn Dewi;
Y mae o hyd olau i mi
A daw, wedi'r hirlwm du,
Y fro oll dan friallu.

Mawrth 1991

Cadw'n iach

Y dôs saff at bob disîs
Yw ugeiniau o Ginis.

Heb Ginis, piwis y bydd
Y meinar a'r emynydd.

Y mae heic unwaith y mis
Yn iawn — os cei di Ginis.

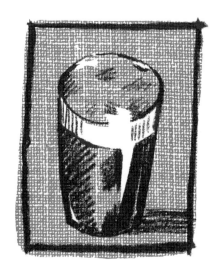

Y mae Ginis yn ffisig
I ddyn bach sydd braidd yn bîg.

Os gwael yw'r frest, ddirwestwr —
Ginis oer gynhesa ŵr.

Dewis Ginis, a hyd gant
Y doniau a dywynnant.

Daw o beint egni di-baid,
Ginis yw gwin y gweiniaid.

Mawrth 1991

Erin

Mae cân yn llepian y lli
Ar gob gerllaw Caergybi
Ac mae porthladd yr addo
Draw ar y trwyn wrth droi'r tro:
Llinell hirbell o harbwr
A'i olau'n donnau'n y dŵr.

Y tân sydd eto'n nesáu
Yn wrid yn fy nghuriadau;
Ym merw'r gwaed, mae hir gof
Y cwch tri'n cochi trwof.

Ar y bwrdd, sefyll mae'r byd
A saif gan ysu hefyd;
Cnoi i war y cei a wna'r cwch
Yn hir ei oddefgarwch;
Esgyn, gollwng a disgwyl
Am gau dôr, am godi hwyl —
Disgwyl i weld ei sigl o'n
Rhoi hwrdd am Fôr Iwerddon.

Mae hen, hen gwmni ynof,
Hen boen a ddeil, er byw'n ddof,
I garu'r haf a aeth yn grin;
Dihiraf am weld Erin —
Hen angen am weld geneth
Lon ei fflyrt, felen ei phleth.

Amau yr wyf serch fy mro:
Ni chaf wlad i'w chofleidio;
Cymru rad i'w chariadon,
Mor rhwydd y cymerir hon,

Mor gwrtais tan bais ei bod,
Mor handi â'i morwyndod;
Rwyf innau oesau'n rhy hen
I'm hudo 'nghlwm â hoeden.
O'm hôl, mae bwrlwm heli'r
Môr mawr rhwng fy mro a mi.

Rhimyn tir ymhen teirawr
Draw ar wych belydrau'r wawr
A nesáu mae'r ynys hud
Yn wyllt at galon alltud;
Yn ei haur, cwyd o'r gorwel
Enethig Wyddelig ddel.

Drosti hi, dros ei daear,
Erwau ei gwên a'i thir gwâr,
Bu'n rhaid codi baner werdd;
Rhengoedd fu'n bwrw'u hangerdd
Yn ei chôl, cusanu'i cham,
A mynwent yn Kilmainham
A dorrwyd i'w cyd-orwedd;
Yr hogiau byw'n gerrig bedd.

Ond, o lwch, eu hanadl aeth
Yn anadl i'w gweriniaeth;
Heno eu cwyn yw miwsig hon
Ym mariau Heol Merrion:
Criw clòs, yn eco'r cleisiau,
Na ŵyr eu cân amser cau,
Yn hwylio tiwn i'w platŵn;
Trais y Sais droes yn sesiwn.

O gylch y ford, acordion
A banjo'n deffro i'r dôn;
Storïau brwd; stŵr borán;
Ddoe a heddiw'n ymddiddan
A'r gwaed sy'n gymysg â'r gwin
Pan eilw'r bîb benelin.

Ond chwerthin Erin sy'n iach
A'r wit sydd yn barotach,
Mae ei rhyddid ym mreuddwyd
Hen faledi'r Liffey lwyd
A'i hacenion sy'n canu,
Ei chriw'n ddwfn, ei chwrw'n ddu.

Mae'r nos ym mro'r hanesion,
Y mae'n hardd yng nghwmni hon,
Hi'r ias mewn llygaid glasach
A hi'r boen sy'n ara' bach;
Hi'r un fyw, hi'r hyn na fu;
Hi'r nef a hi'r anafu;
Hi'r dalent yn nhre Dulyn
A hi'r ing; dim ond rhyw un
Diwrnod, ac mae'i hud arnaf;
Ymdrown yma hyd yr haf . . .

Oni bai un lle'n y byd . . .
Oni bai hiraeth bywyd . . .

Daw'r ias a âi drwy Osian
Yn oriau'i wae ar wahân
Imi ar hyn; mae mor hen
Â bryniau ynys Branwen;
Yn ôl i'w wedd 'daw ei wlad
O flaen gŵr fel hen gariad.

Yno, mi wn, yn fy mêr,
Mae 'mhriodas a 'mhryder;
Un fro yw deunydd fy rhwyd,
Â'i haur hi y'm modrwywyd
A thrwy hon a'i thrueni
Y daw haul i 'mywyd i.

O ynys fy Ngorffennaf,
Fel erioed, yn ôl yr af
Ac, ym mhridd y Gymru hon,
Ymroi i gael Cymru'r galon.

Mawrth 1991

Cwm Eithin

Cystadleuaeth yn Eisteddfod Llangwm osododd testun y drioled hon ond bwrlwm diwylliant yr ardal a theuluoedd ifanc y fro honno ysgogodd ei chynnwys. Mae nifer y plant yn ysgol y pentref wedi dyblu dros y blynyddoedd diwethaf!

Am wlad heb iddi ddarn o dir
Y clywaf hiraeth yn fy nghalon,
Er hynny, mae fy nghof yn glir
Am wlad heb iddi ddarn o dir,
Am hanes nad yw mwy yn wir
Os nad oes coel ar hen freuddwydion;
Am wlad heb iddi ddarn o dir
Y clywaf hiraeth yn fy nghalon.

Does yno ddim ond corsydd brwyn
Medd rhai, ac ambell gorlan gerrig;
Dim byd ond mawn a bryniau'r ŵyn;
Does yno ddim ond corsydd brwyn
A'r gwynt mewn gwern yn dweud ei gŵyn;
Dim ond hen bridd a gwreiddiau styfnig;
Does yno ddim ond corsydd brwyn
Medd rhai, ac ambell gorlan gerrig.

Bydd yno flodau melyn Mai
Pan ddelwyf innau i Gwm Eithin;
Bydd yno wanwyn, a dim llai;
Bydd yno flodau melyn Mai
A'u cloddiau'n codi drwy fy nghlai;
Bydd yno dir, bydd yno werin;
Bydd yno flodau melyn Mai
Pan ddelwyf innau i Gwm Eithin.

Ebrill 1991

Ffacsiaeth

Mae tapio'r ffôn yn ddiwydiant pwysig yng Nghymru — ac mae modd edrych ar yr ochr ddoniol yn aml. Yna, daeth peiriant ffacs acw. O, wych dechnoleg fodern, meddwn, nes sobri ac ystyried tybed a yw'r un dechnoleg eisoes yn medru tapio'r negeseuon ffacs yn ogystal. Mae 35 mil o linellau ffôn yn cael eu tapio yng ngwledydd Prydain bob blwyddyn — a thri chwarter y rheiny oherwydd rhyw agwedd neu'i gilydd ar 'ddiogelwch y wladwriaeth'.

Dwi'n siarad yn amal efo'r Bois in Blŵ —
Y mae 'na ryw fŷg yn mynd rownd, meddan nhw.

Pan aeth 'na dŷ haf uwch Sbyty yn sbarcs,
Roedd y ffôn 'cw'n swnio fel ffilm Groucho Marcs,

Sŵn ffrïo, sŵn tapio, sŵn tacograff loris
Neu sŵn Radio Cymru wrth basio drwy Gorris.

Yr un peth drwy helynt y Comisiwn Coedwigo —
'Tae o'n digwydd i farnwr, mi fyddai'n mynd dan ei wig o.

A phan gath Dafydd Êl lond bol ar y Tŷ,
Roeddan nhw wrthi eto, y bygars bach hy'.

Ond chwerthin a wnawn i a chael hwyl reit iach:
Dweud bod 'na glustiau mawr gan yr hen Foch bach.

Yna, un diwrnod, mi wylltiais yn racs:
Ydi'r diawliaid busneslyd wedi bygio'r ffacs?

A throdd fy edmygedd at gajets bach clyfar
Yn gynddaredd at gŵn yr Yndyr-Cyfar.

Pan yrraf broflen rhyw gardiau hotél,
Efallai bod llygaid yn gwylio'r lle am sbel.

Ydi'r cywydd i *Golwg* ar ddesg y nein, nein, nein?
Oes 'na lên-ladrad yn digwydd ar y lein?

Ac mi ddychmygaf dditectif yn methu cysgu winc
Wrth drïo dicôdio ordors papur ac inc.

Mae'n nhw'n gweld, maen nhw'n gwrando drwy iaith y cymylau
Ac nid ydyn Nhw am breifateiddio meddyliau.

Ebrill 1991

Cwpledi

Ffyddlon yw cynffon pob ci
Er mai estron yw'r meistri.

Blaen troed di-oed yn nhîn dyn
A'i sadia'n eithaf sydyn.

Cofio John Gwilym Jones

Mewn perllan deg, mae'r egin — yn aeddfed;
 Mae greddf wedi'i meithrin;
 Mae clymau geiriau'n rhoi gwin
 Oherwydd Coeden Eirin.

Cyfrifiad 1991

Cei ffurflen Gymraeg
Ond swnian amdani;
Cei'i llenwi'n dy famiaith,
Ond Saesneg sy'n cyfri.

Pantone pedwar-saith-pump

Yn ôl y catalog inc, nid gwyn yw lliw fy nghroen ond Pantone 475 er bod
ffurflen y Cyfrifiad yn awgrymu fy mhurdeb i o'm cymharu â rhai hiliau
lleiafrifol eraill.

Ni welais groen, fel maen nhw'n dweud yn y trêd,
Cyn wynned â'r gwyn mewn *Classic Laid*.

Ac ni welais inc sy'n felyn Tjeinî,
Yn frown Pacistan nac yn ddu Caribî.

Ond mi welais brint fel ôl y traed
Sy'n sathru ar ddyn oherwydd ei waed.

Mai 1991

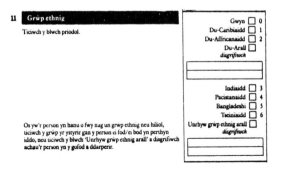

Ceiliog mwyalch

Rai blynyddoedd yn ôl, canodd T. Llew Jones, Dic Jones ac Alun Cilie
gywyddau mawl i wahanol geiliogod mwyeilch oedd yn rhoi môr o gân a
phleser iddynt i lawr yng Ngheredigion. Mae'n amhosibl canu cywydd i'r
un aderyn du bellach heb gyfeirio at eu gorchéstion hwy! Gigli, Caruso,
Helen Watts, Richie Tomos a Geraint Ifans oedd yn y top ten bryd hynny
— mae'r enwau wedi newid erbyn hyn, ond yr un yw hyfrydwch y
ceiliog mwyalch.

Daw Mai'n fwynhad i minnau,
Ar bob cainc, ceir bywiocáu
A gwn nad oes am ganu
Well ei ddawn na'r asgell ddu;
Ym mron Garmon, ddyddiau'r gog,
Wele Swlw lais heulog
O'r un radd, ar yr un ris
Â'r cordwyr ym mro'r Cardis.

Y mae rhiw yn fy mro i
Yn gadeiriog ei deri
A hen hafau eu tyfiant
Yn goron wych ger y nant;
Yma roedd, mewn tymor iâ,
Aderyn mewn cnwd eira
Yn crafu mes, crafu maeth
Y derw yn gadwraeth.

Ddoe a aeth; heddiw yw hwn
A'i fawl yn nodau filiwn
A gwyd yn salm i'r goeden;
Carreras y briglas bren
Yn telori wedi'r iâ
Â'i seiniau yn Hosanna;
Yn yr haul, derw 'welir
Â'u dail hwy fel siandelîr

Yn creu i hwn lwyfan crog:
La Scala i lais ceiliog.

Ar y brig, graddedig ddu
Yw ei gown; meistr ar ganu;
Hyfryted â Phav'roti
A'i solo'n Domingo i mi
Yn creu cerdd uwch Carreg Gwalch,
Coleg Mai'r ceiliog mwyalch.

Ar bren tirf, mae'r Bryn Terfel
Yn chwyddo'n galon heb gêl,
Yn troi'n wefr ei ffliwt i'r ne';
Y mae'i sgìl fel James Galway
A'r tiwniwr yw atyniad
Yr hen ieir â'i serenâd;
Sinatra'r tymor caru
A'i alwad aur mewn feinl du;
Chwiban wen a choban nos
A cheit yr holl ferchetos.

Mewn dillad parch, amharchus
A chwil yw'n ei uchel lys;
Un o'i go'n wêc y gaeaf
Yn rhoi, ar arch, barti i'r haf.

I rym oerni, rhoi marwnad
Wna ef, a'i rhoi â mwynhad;
Hylibalŵ feddw fawr
Yw ei ddawn uwch bedd Ionawr;
Ni ŵyr ofn uwch llety'r eirch,
Ni chowtowia uwch tyweirch.
Mae'n sgandal mewn siwt alar,
Yn hurt gaib, er y tei gwâr,
Yn ei hwyl wrth ganlyn hers,
Yn y fynwent heb fanners;

Mae'n chwislo wrth rawio pridd
A rhoi Ebrill dan friwbridd
A'i recwiem dry'n anthemau
Ym min y bedd; mae'n bywhau
Yr wylo'n llond stiwdio o stŵr,
O, anweddus gywyddwr!
Yndyr-tecyr y coed tal
A'i ddotio yn ddi-atal.

Daw gwedd gorfoledd ei Fai
Mewn doldir ac mewn deildai
Â byw donc i'r trwbadŵr,
Y beionic chwibanwr;
Nid yw gwawr ac nid yw gwyll
Yn tewi'r pagan tywyll.

Tyred eto'r col-tariwr;
Seinia fawl, Siarl Asnafŵr;
Boed hir dy haf, boed hir dôn
A hir oed i'th gariadon;
Arwain y sioe, rho inni'n siâr
O hwyl Mai, liw y mwyar.

Mai 1991

Mai

Ym mrigau'r ynn, mae'n dymor gwirioni
A'r tiwnio'n daer; mae parti'n y deri;
Mae'n fis y blodau; mae'n fis baledi —
Ar ôl cwsg Ionawr, rowlio casgenni;
Na foed un gair am Fedi'r haf yn llwch:
Mwy, ymlonnwch — mae yma aileni.

Arianrhod

*Cwmni a ffurfiwyd i brynu eiddo a busnesion yw Arianrhod gan roi cyfle i'r
Cymry brynu cyfranddaliadau a buddsoddi eu cyfoeth yn eu heconomi eu
hunain. (Ffoniwch am fwy o fanylion!)*

Rhown wfft fod y Cymro'n wan
Yn nyrys fyd yr arian,
Yn wael am wneud ei filiwn,
Yn waed coch, nid yn deicŵn,
Yn rhy wâr i fentro'i grys,
Rhy neis i greu Onassis.

Mae'n haws bod yma'n weision
Na cheisio hawlio'r wlad hon;
Dyma ni i gyd yma'n gaeth,
Yn werin rhyw gorfforaeth,
I eraill yn rhoi'n horiau
Am ryw damed paced pâu.

Gwerthu siop a gwerthu swydd
A edrydd ein hynfydrwydd;
Am geiniogwerth, arwerthwyd
Hyder yr hil, daeth drwy'r rhwyd
Iypi o Gaer i Siop y Garn,
Un o Dover i'r dafarn.

Anian gwas: derbyn â gwên:
Dweud 'Ies-syr' am ei deisen;
Cyffwrdd cap fel 'tae'n hapus,
Seboni a chwerwi'n ei chwys;
Oni flinwn filiwnwaith
Hyd wylo'r gwaed lawer gwaith?

Ni raid wrth ragor o hyn.
Mi hawliwn ryddhau melyn
Ein cyfalaf o grafanc
Llogellau a bondiau'r banc,
A heddiw, ailfuddsoddwn
Y twr aur yn y tir hwn.

Arian a wêl gadarnhau
Yr iaith a Chymru hithau;
Fesul siop a fesul swydd
A boerwyd ar bob arwydd,
Prynwn y lot; prynwn wlad
Yn ôl, fesul adeilad.

Mai 1991

Fedra' i ddim ar hyn o bryd

*Roedd y bath yn llawn ac roedd y mab hanner y ffordd i mewn iddo yn ei
ddillad gorau. Roeddwn innau ar fin galw ar ei fam i ddod ar frys i fyny'r
grisiau i wneud rhywbeth i'w achub, pan drawodd y syniad yma fi yn fy
nhalcen — pam na fuaswn i'n gwneud rhywbeth ynglŷn â'r mater? Y drwg
oedd fy mod ar y pryd yn brysur ofnadwy yn canolbwyntio ar y gwaith
dyddiol hollbwysig hwnnw — shafio. Yng nghanol ein mân orchwylion,
rydan ni mor barod i wneud esgusodion cwbl ddealladwy, cwbl ddynol
dros wneud dim byd.*

Mae tad y nawdegau o wahanol frid
Medd comics merched — ddim mor ddi-hid
O gylch y tŷ, ac mi rôi ffîd
I'r babi 'tae ganddo fronnau. Mi wnawn
Innau 'run modd petae'n nhw'n llawn;
Dwi'n bathio, newid clytiau, debyg iawn;
Myfi sy'n siglo'r crud o hyd, o hyd,
Ond fedra' i ddim ar hyn o bryd
— Dwi'n shafio.

124

Mae'r bychan wrthi'n stwffio'i fawd
I fyny trwyn y gath, tra bod ei frawd
Yn cuddio llawr y gegin o dan flawd;
Mae'r swper yn y popty ers cyn cof;
Mae'r bîns yn berwi'n ddu ar ben y stof
A phan ddaw gwaedd, mi fydda' i'n mynd reit ddof;
Dwi'n rhoi fy amser drud o hyd, o hyd,
Ond fedra'i ddim ar hyn o bryd
— Dwi'n shafio.

'Wnei di fynd â'r plant am dro?
Torri priciau, llenwi'r bwced glo?
Mae eisiau chwynnu'r ardd ers tro . . .
Dyw'r pan lawr grisiau ddim yn fflysho;
Mae'r tap yn dripian, wnei di rysho?
Mae golau coch yn fflachio yn y Pŷsho . . .'
Mi wnaf i hyn i gyd o hyd, o hyd,
Ond fedra' i ddim ar hyn o bryd
— Dwi'n shafio.

Mae rhywun eisiau pennill ar y ffôn;
Y mae rhyw bwyllgor heno'n ôl y sôn
A dw' innau awydd gweiddi 'Pogmohôn';
Mae'r *North Wales Weekly** angen cic;
Mae'r Blaid yn galw am ganfaswyr slic;
Mae Cymru eisiau'i safio — a hynny'n gwic;
Dwi'n sgwyddo pwysau'r byd o hyd, o hyd,
Ond fedra' i ddim ar hyn o bryd
— Dwi'n shafio.

*a'r Swyddfa Gymreig, y Torïaid, yr R.A.F., y Cyd-bwyllgor Addysg, y Comisiwn Coedwigo, adrannau cynllunio, Bwrdd yr Iaith, y Parc Cenedlaethol, Kinnock a.y.b — gellir ychwanegu rhestr go faith yma a dweud y gwir!

Mehefin 1991

Pen Llŷn ar ddechrau'r haf

*Mae Pen Llŷn yn un o fy hoff ardaloedd ac ar ddechrau'r haf mae'r
cloddiau'n llawn o flodau gwylltion a'r ffyrdd yn wag o ymwelwyr. Mae'r
bobl leol a'r bywyd lleol yn amlycach ac mae'r cydbwysedd ecolegol a
diwylliannol yn plesio'n arw.*

Mae haul ar flodau melyn
A'r haf llawn ar drofâu Llŷn;
Mae wyneb carn yr ebol
A gwên wen yr ysgaw'n ôl;
Mae olyniaeth a daeth dydd
Tân pabi, tiwniau pibydd.

Rhyw Afallon feillionog
Â lliwiau ffri dros ei holl ffrog
Sy'n agor uwch pais Neigwl
A daeth, wedi'r tymor dwl,
Sioe o gwafars i gwfaint
Y llwybrau swil lle bu'r saint.

Carnifaliodd y cloddiau;
Coelcerth y berth sy'n bywhau
A thân gwyllt o'r eithin gwyd;
Heddiw, yn wiw, cynheuwyd
Y banadl eto'n benwych:
Mardi-gras uwch môr di-grych.

Hyd Anelog, ceiliog coch
A gwisg o flodau'r goesgoch;
Lôn grand fel Babilon grog
O Borth Meudwy i Borthmadog
A rhwydd a gwych pob ffordd gudd
Â hi'n ha'r tatws newydd.

Adwy'r Eifl yn olau draw;
Hinon hyd Fôn, hyd Fanaw;
Hen wraig a'i thŷ ar agor
A chaeau mân uwch ŷ môr
A gwar noeth yn gyrru'n wyllt
I'w silwair yn ddiselwyllt.

Ein lôn wen frodorol ni
A hen dwf nad yw'n dofi
Sy'n y pridd; mae'r sioe'n parhau
Yn y tylwyth petalau;
Mae'n gwyddfid cynhenid ni
Yn Llŷn, â'r cloddiau'n llenwi.

Mehefin 1991

Troad y rhod

Darllenwyd o'r llwyfan yn ystod seremoni'r Gadair yn Eisteddfod Dyffryn Conwy, Llanrwst pan ataliwyd y wobr. Cynhelir yr Eisteddfod hon ar y Sadwrn agosaf at droad y rhod bob blwyddyn.

Hiraros dydd y Crys-T
A wnawn drachefn eleni;
Mae criw'r trip, mae criw'r tir âr
Yn dyheu am wres daear;
O, am weld difotwm hin,
O, am haf ym Mehefin.

Wedi'r rhew, disgwyliwn dro,
Ond allan mae'n pistyllio;
Mai oer y barrug marwol
A lliw'r haul ymhell ar ôl;
Er ei wisg blodau'r ysgaw,
Y mae'r haf yn glaf i'r glaw.

Haf ein siom; Mehefin sydd
Yn fis du; yn fis tywydd
Di-ddal; er i'r dydd hwyhau,
Y mae'i haul tan gymylau;
Gwae inni dymor gwanned
A gwae'r ias ddeg sentigrêd.

Ond, o raid, troad y rhod
A ddaw arnom ryw ddiwrnod;
Lleuad uwchben sy'n llenwi;
Daw awyr las, paid ar li
A daw oriau'r golau gwyn
O gadw un llygedyn.

Mehefin 1991

Tre Lywelyn

Wrth ymweld ag olion hen lys Llywelyn ym Mhen-y-bryn,
Abergwyngregyn, mae rhywun yn cael yr argraff bod rhywrai wedi ceisio
dileu'r lle a dileu'r cof amdano. Lleoedd ydi hanes, nid cyfnodau annelwig o
amser — ond mae 'Cadw' yn cadw draw oddi yno. Mae Aber yn dangos ein
bod yn ddigon o ddynion i reoli ein bywydau ein hunain ar un adeg, ond
gwell gan rai gynnal y myth mai byw ar lefrith potel yr ydym fel cenedl.

Rhag arfogi'r myllni maith,
Rhag i Aber greu gobaith,
Rhoed tân o'i lloriau i'r to,
Gyda gwawd, a'i digoedio;
Darostwng ei holl drawstiau
Yn rwbel, a'i hiselhau.

Ar ddoe ddewr, yr ordd a ddaeth,
Maluriwyd ein milwriaeth;
Trwy'r seiliau, bu trosolio,
Aflunio'n byw, fel na bo
Na wal sych na chonglau sad
Yn sefyll o'n gwrthsafiad.

Hen dre wedi'i distrywio,
Hen freuddwyd 'geibiwyd o go';
Yn saga hir ein llesgáu,
Angof yw'r cyfyng furiau
Nes bwrw'r haf dros y bryn,
Dileu haul dau Lywelyn.

Mae gwlad yn anweladwy
Heb lechi na meini mwy
I'n cadw; rhai broc ydym
Heb yr iau i barhau, heb rym,
Yn sŵn gwag, yn llaes ein gwên:
Ŵyn llywaeth, boliog, llawen.

Ond o dyrchu'r dywarchen,
Ail-lanhawn yr olion hen;
Tan groen y tir, cedwir co'
O'r maen ar faen a fu yno
A than galch y gwthiwn gŷn
Yn ôl hyd dre Lywelyn.

Ar ben tomen, mae un twr
Yn gadarn, a hwn geidw'r
Wrogaeth yng Ngwyngregyn;
Creu caer y mae'r cerrig hyn
Rhag rwydd roi'r gorau iddi,
Rhag ildio i'n hildio ni.

Gorffennaf 1991

Branwen ac Alun

*Mae mwy nag un dull o greu ymerodraeth — drwy ddefnyddio grym
milwrol Sofietaidd, CIA-aidd neu drwy ddefnyddio gormes cyfalafiaeth y
gorllewin. Mae rhai yn credu bod y modd i brynu yn rhoi yr hawl iddynt
feddiannu unrhywfan, pobman. Safodd dau o aelodau Cymdeithas yr
Iaith yn erbyn y mewnlifiad diweddar i Gymru gan fynnu bod gennym
ninnau ein hawliau hefyd a bod rhaid wrth gyfraith i'w hamddiffyn.*

Roedd dagrau'n yr oriel wrth garcharu eu gwên,
Rhoi garddyrnau ifanc mewn gefynnau hen,
Wrth weld rhoi chwe mis i ieuenctid y dydd
I dalu'u dyledion i'n cymdeithas rydd.

Y gymdeithas rydd werth ar eiddo o hyd,
Dim ond gwerth eu ceiniog yw pobol ein byd;
Ond prynu â chanmil neu feddiannu â thanc,
Yr un ydi'r trais — waeth bwled na banc.

Lle bu mamau'n magu, datod mae'r siôl
O'r Dordogne i Ardudwy i dir Donegal,
Ond weithiau daw 'dafedd o hualau dau
Eto i roi pwyth yn y brethyn brau.

A gwn, wrth weld cost y cyfannu brys,
Mai dagrau llawenydd oedd yno'n y llys.

Medi 1991

Cleddyf tan wydr

Pan gyhoeddodd siopwr o Sais nad oedd ei staff i ddefnyddio'r Gymraeg ymysg ei gilydd yn ei siop ym Metws-y-coed, bu'r gwrthwynebiad iddo mor sydyn a ffyrnig fel yr ildiodd yn llaes ei ymddiheuriadau o fewn diwrnod. Unwaith eto, gwelsom mai'r iaith yw ein harf pennaf — wrth amddiffyn ac wrth ymosod.

Cleddyf tan wydr — fel tynged tincial iaith,
Gynt yn dafod cloch mewn brwydrau,
Yn larwm y drin;

Cleddyf tan wydr — ei haearn llafar
Heddiw'n llafn danheddog mewn oriel,
Heb fawd ar ei fin.

Cleddyf tan wydr — ond a godwyd o gors
Y gollwng ac sydd eto'n hogi
Banllefau barn.

Tincial iaith — fel cleddyf tan wydr
Yn gorwedd dan y golau meddal
— ac yn cynnig carn.

Medi 1991

Cyfarchion

Pethau digon ffwrdd-â-hi ydi cyfarchion bob dydd ar brydiau, ond mae 'na gwmnïau sy'n credu eu bod yn hyrwyddo eu delwedd gyhoeddus drwy yrru eu staff ar gyrsiau mân-siarad. Mae ffasiwn ffals America o jit-jats joli ar y ffôn yn dod yn nes adref, gwaetha'r modd, ac mae'r jingyls di-ystyr yn mynd o dan fy nghroen i. Troi cyfarchiad personol yn barodi arno ei hun y mae'r rhain a dieithrio nid closio yw'r effaith yn y pen draw. Mae'n debyg mai'r nesaf sydd ar ei ffordd draw yma ydi diweddu sgwrs â'r ymadrodd 'Missing you already'! Mor wahanol yw ambell gymeriad arall sy'n ddigon swta ar yr wyneb ond sydd â rhywbeth gwerth gwrando arno pan yw'n agor ei geg.

Mi wn am un na ddwêd run gair o'i ben
Nes bod hi'n baned ddeg — a rhyw 'Mae'n oer'
A gawn ni wedyn; mae'i ên fel darn o bren
Bob bore — ac mae mewn byd yn llyncu'i boer;

Un arall ar y ffôn sy'n ffwl-o-bîns —
Blondan, yn ôl ei llais, ddilynodd gwrs
Ar gyfathrebu nes bod ei gwên Maclîns
Yn bigyn clust; maent wedi sgriptio'i sgwrs —

Ei *'Mo'ning!'* wedi'i faniciwrio'n gain;
Pob sill o'i llawlyfr siarad sy'n ei le;
Ni ddaw o'i desg ddim ond disainyr sain
Hyd farnish ei hanorfod *'Have 'nice day!'*

Os dywed hi ei bod hi'n oer, diom otch;
Pan ddywed o, mae'n amser nôl y Sgotch.

Hydref 1991